LE MYSTE… …APTISTERE

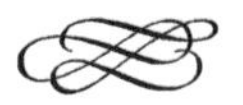

JODI ALLEN BRICE

Traduit de l'anglais par Ariane Linstrumelle

Édité par Feathers and Footprints

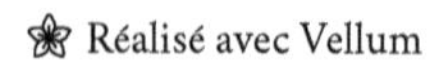

CHAPITRE UN

— Il y aura des donuts.

Assise à la table de la cuisine, les doigts entrelacés autour d'une tasse de café bien chaud, je relève subitement la tête, piquée par la curiosité.

— Ceux avec du glaçage ou fourrés à la confiture ?

Les yeux plissés, j'observe avec méfiance ma mère qui tente par tous les moyens de me convaincre d'assister à la messe ce matin.

— Les deux, répond-elle avant d'afficher un grand sourire facétieux comme celui du chat dans Alice aux pays des merveilles.

— Allez, ça te fera du bien, ajoute-t-elle en ouvrant le four pour vérifier la cuisson du gratin prévu pour le petit-déjeuner de l'église.

Je lève les yeux au ciel.

— Tu sais, je ne suis pas très pratiquante, dis-je en bâillant à gorge déployée sans même prendre la peine de me cacher. Et puis, j'ai veillé tard hier, je suis fatiguée.

La porte du four se referme dans un claquement sec. Ma mère se tourne vers moi.

— Dove, tes journées se résument à travailler et à regarder la télévision. Tu dois prendre ta vie sociale en main. En plus, Dean sera là.

— Dean, c'est de l'histoire ancienne, Maman, dis-je en me délectant d'une gorgée corsée. Et puis il sort avec Samantha Vaughn, alors inutile d'essayer de nous caser.

Dean Gray est le shérif d'Harland Creek et, accessoirement, mon amour de jeunesse au lycée. Notre relation avait pris fin après l'obtention de nos diplômes et, dans la foulée, j'avais décidé de conquérir le monde de la mode pour enfant en m'installant à New York. Hélas, malgré le succès fulgurant de mon entreprise, les manigances de mon ex-associé véreux ne m'avaient laissé d'autres choix que de renoncer à mon rêve et de retourner vivre chez ma mère, laissant depuis mon avenir en suspens.

— Samantha est une jeune femme ravissante.

Cette phrase me fait l'effet d'une douche froide. Je me redresse aussitôt et fixe, incrédule, ma mère qui hoche la tête d'un air entendu avant de siroter son café.

— Tu la trouves ravissante ? demandé-je tout en me creusant les méninges pour trouver une seule bonne raison de ne pas apprécier Samantha outre qu'elle fréquente mon petit ami, euh, ex-petit ami.

— Bien sûr. Elle est naturellement jolie, poursuit ma mère avant de me porter le coup de grâce. Et elle s'habille très bien. Dimanche dernier, elle portait une élégante robe corail avec des perles brodées.

Je ricane sans retenue.

— Et je parie qu'elle avait assorti ses chaussures à sa tenue ?

Interloquée, ma mère me considère avec étonnement.

— Comment le sais-tu ? Tu es tombée sur Samantha après la messe ?

— Non, mais tout le monde sait que porter des chaussures beiges avec une couleur comme le corail donne l'illusion de jambes plus longues.

— Elle a déjà de longues jambes, donc je suppose que ça ne change pas grand-chose pour elle.

— Moi aussi, j'ai de grandes jambes, couiné-je vexée.

— Mais oui, toi aussi, ma chérie, m'assure ma mère sur un ton exagérément affectueux en me caressant la joue après avoir déposé sa tasse sur la table. Bon, dans ce cas, si tu ne m'accompagnes pas à l'église, je file me préparer. C'est dommage, c'était l'occasion de porter la superbe robe bleu ciel que tu as confectionnée. Elle est incroyable.

Touchée, je lui adresse un sourire chaleureux en guise de remerciement. Un soir, lasse de regarder une énième fois la télévision, j'avais rassemblé différents tissus appartenant à mère et jeté mon dévolu sur un somptueux morceau bleu scintillant inutilisé. Comme elle n'en avait jamais rien fait, je me l'étais approprié.

En un jour, sans m'aider d'un modèle, j'ai donné vie à une formidable robe trapèze vintage à manches longues, dont la couleur fait davantage ressortir l'éclat de mes yeux bleus.

Si je la porte à l'église, je suis prête à parier que Samantha Vaughn et sa robe corail tomberont aux oubliettes.

Il ne m'en faut pas plus pour m'activer. Trente minutes plus tard, me voilà pimpante et habillée, puis installée derrière le volant.

— Pourquoi la cérémonie commence-t-elle aussi tôt aujourd'hui ? ronchonné-je en réprimant un bâillement sonore.

Une autre dose de caféine avant de partir n'aurait pas été de refus.

— Parce que Joe Smith, l'un des fermiers d'Harland Creek, se fait baptiser. Tous les baptêmes commencent à huit heures, suivis d'un petit-déjeuner et du sermon du pasteur, m'explique ma mère en déposant avec précaution le plat chaud sur ses genoux. En général, les jours de baptême, le sermon dure moins longtemps.

— Dieu merci, dis-je entre mes dents.

Quelques kilomètres plus tard, le véhicule tout juste stationné sur le parking de l'église, mon ventre se met à rugir.

— Ce baptême a intérêt à être expéditif, grommelé-je de concert avec mon estomac.

Je sors du véhicule en vitesse et récupère le gratin sur les indications de sa cuisinière.

— Mets-le dans la salle paroissiale avec les autres plats.

Alors que ma mère salue quelques mètres plus loin son amie Elizabeth Harland, je me glisse furtivement par la porte arrière dans la paroisse et fonce vers la cuisine. À l'intérieur, une palette de mets appétissants, sucrés et salés, se présente sous mes yeux : gratins, jus de fruits frais, gâteaux et, surtout, une farandole de donuts. Je souris avec délectation. Le repas s'annonce pour le moins succulent.

Après un coup d'œil rapide par-dessus mon épaule, j'avise l'un de mes beignets préférés et en dérobe un que je m'empresse de croquer. Je m'apprête à déglutir quand plusieurs voix s'élèvent dans ma direction. Nom de non ! Paniquée à l'idée d'être prise sur le vif, je me dissimule derrière une porte, le souffle court, et tente de rester immobile.

— Je n'en reviens pas que le pasteur John ait enguirlandé Eleanor de la sorte. Depuis toutes ces années, je ne l'ai jamais vu hausser le ton ainsi, s'offusque une voix en pénétrant dans la pièce.

Etta Miller. La secrétaire de l'église et accessoirement la femme la plus petite que je connaisse, qui avoisine à peine le mètre cinquante.

J'identifie à travers l'interstice de la porte son interlocutrice, Agnes Jackson, puis observe à la dérobée ces deux femmes que je connais depuis la nuit des temps.

— Est-ce qu'il a réellement crié ? s'impatiente Agnes les bras croisés, sceptique.

— Je ne suis pas du genre à mentir, maugrée Etta en levant le menton.

— Alors, quel était le sujet de leur dispute ?

— Eleanor disait qu'elle ne lui donnerait plus un seul centime pour financer nos missionnaires, confie à voix basse la petite femme après avoir balayé la salle d'un bref regard.

— Tu plaisantes ! s'exclame Etta, stupéfaite.

L'oreille tendue, j'écoute avec attention tout en mastiquant mon donut.

— Non. C'est à ce moment-là que le pasteur John s'est emporté et lui a dit qu'elle le regretterait si elle ne donnait rien.

— Mhm, je me demande ce qu'il sous-entendait…

— Ça n'a plus d'importance, soupire Agnes. Il faut qu'on se prépare pour le baptême. Tu as apporté la serviette ?

— Je dois passer la récupérer au bureau. Je vous retrouve au baptistère.

Deux secondes plus tard, Etta disparaît, laissant résonner son pas lourd sur les dalles de l'église.

— Tu peux sortir, Dove, dit Agnes en ouvrant la porte qui me servait de cachette.

— Comment as-tu su que c'était moi ?

— Je t'ai entendue mâcher. Allez, suis-moi. Si je dois aider, toi aussi.

Je fourre le reste de mon beignet dans ma bouche et m'exécute.

À notre arrivée, Elizabeth et le pasteur John sont en pleine conversation avec le futur baptisé, simplement vêtu d'un short en jean et d'un T-shirt.

— Vous n'allez pas me noyer, Pasteur, pas vrai ? s'enquiert Smith d'une voix hésitante.

L'homme d'Église pouffe de rire.

— Mais non, je vais vous plonger dans l'eau et vous relever. C'est tout.

— C'est un événement exceptionnel. Voyez cela comme une célébration, intervient Elizabeth en souriant.

— Absolument. La célébration de son premier bain, marmonne Agnes avec hargne.

— Agnes ! s'indigne Elizabeth en la fustigeant du regard.

— Franchement, je n'exagère pas. Même ses cochons se lavent plus souvent que lui.

Excédée, l'apicultrice jette un regard courroucé en direction de son ennemi juré.

— Ce n'est pas très gentil de ta part et pas très chrétien.

— Très bien. Désolée, finit par bredouiller Agnes.

Mal à l'aise, Smith ne semble pas savoir sur quel pied danser.

— Je ne sais pas. Peut-être qu'il vaudrait mieux attendre, je peux toujours le faire une prochaine fois.

— Il n'y a aucune raison de vous inquiéter, promet le pasteur en lui pressant l'épaule.

— Et si je me cogne la tête en glissant ? Et si vous n'arrivez pas à me sortir de l'eau ? bégaye-t-il avec effroi. Et… Et si j'attrape une pneumonie parce que l'eau est trop froide ?

Smith recule d'un pas, visiblement apeuré.

— Écoutez-moi. Allons au baptistère, ainsi, vous verrez à quel point ce n'est pas profond et combien l'eau est bonne.

Le pasteur se tourne alors vers moi.

— Dove, est-ce que tu peux allumer les lumières du baptistère, s'il te plaît ?

— Oh, bien sûr.

J'obtempère et gravis rapidement les quelques marches

qui mènent jusqu'à l'édifice avant de presser l'interrupteur mural pour sortir le bassin de l'obscurité.

Et la lumière fut, ou plutôt le cri. Le mien.

Derrière moi, le pasteur accourt à toute vitesse, rapidement suivi des autres, tandis qu'ils découvrent à leur tour le corps, sans vie, d'Eleanor Simmons flottant à la surface de l'eau.

CHAPITRE DEUX

Désireuse de saisir plus distinctement la conversation des deux femmes de l'autre côté du mur, j'interromps un instant ma machine à bras long.

— Ils suspectent un acte criminel, commente Agnes.

— Évidemment qu'ils suspectent un acte criminel. Personne ne se noie dans un baptistère, grogne Bertha. Je parie qu'Eleanor n'y avait jamais mis un seul pied jusqu'à ce qu'on l'y pousse. Cette bonne femme était le diable incarné. Je n'en reviens toujours pas qu'elle et le pasteur John aient été de la même famille.

— Quelqu'un l'a poussée ? C'est ce qui l'a tuée ? en profité-je pour demander, curieuse.

— Tiens, je me demandais quand tu sortirais nous filer un coup de main, remarque l'apicultrice, un échantillon de tissu à la main. Il me faudrait plus de ce tissu Riley Blake pour finir mon quilt. Je n'en ai déjà plus.

Je récupère l'empiècement et scanne les différents rangements qui occupent la pièce.

— On devrait en avoir par là, dis-je en me dirigeant vers le panier rempli de chutes de tissus.

Je fouille puis en extrais par miracle deux carrés.

— Voilà, c'est tout ce qui reste.

— Ça suffira pour terminer mon dernier bloc, répond Agnes en souriant. Je couds un quilt pour mon voisin, j'ai choisi le Drunkards Path comme bloc.

— En parlant du Drunkards Path, tu réalises combien Eleanor avait un penchant pour la bouteille ? relève Bertha en me fixant.

Je soupire bruyamment.

— Tu m'en avais parlé, oui. Mais je ne vois pas pourquoi cela me concerne.

— Comment penses-tu qu'elle soit morte, Dove ?

À la manière d'un faucon jaugeant sa proie, Bertha m'observe les yeux plissés dans l'attente d'une réponse satisfaisante.

— Comment suis-je censée le savoir ? Je ne suis pas détective.

Évitant soigneusement son regard, je m'approche de la caisse. Qu'on me laisse faire mon travail et, surtout, qu'on ne m'implique pas dans une nouvelle enquête.

— Avec les filles du club de couture, on craint que la police n'accable son frère. Etta a craqué après avoir répondu à l'interrogatoire de Dean. Elle a vendu la mèche sur leur altercation et sur les menaces du pasteur, précise Agnes dont la bouche ne forme plus qu'une seule ligne fine.

Je réprime un petit rire.

— Crois-moi, je suis persuadée que Dean ne tentera en aucun cas de mettre la responsabilité sur le dos de qui que ce soit. Il fera son boulot et enquêtera avec la plus grande minutie. Et puis, qui sait, peut-être que ce n'était qu'un accident.

— Eleanor était loin d'être appréciée. Quoi qu'il en soit, on se réunit chez ta mère ce soir pour en discuter, annonce-t-elle en troquant son air grave avec un large sourire, il semblerait qu'on ait une nouvelle énigme à résoudre. Et on a besoin de toi comme cheffe d'équipe.

Je lève aussitôt les mains pour calmer le jeu.

— Attendez une minute. On devrait plutôt laisser la police s'en occuper et ne pas s'en mêler davantage.

— Ce n'est pas ce que tu disais quand Gertrude Brown a été retrouvée morte dans la mercerie, glisse Bertha.

Je me renfrogne aussitôt.

— J'étais soupçonnée de l'avoir tuée, c'est différent. Je me devais de me disculper vu la réticence de Dean à le faire.

D'ailleurs, je ne suis pas encore certaine d'avoir pardonné à l'ancien élu de mon cœur de ne pas avoir cru en mon innocence. Tel un lourd fardeau émotionnel, mon expérience désastreuse à New York et mon retour forcé à Harland Creek me pèsent toujours sur les épaules, à l'instar de Dean.

Agnes me regarde d'un air entendu.

— Cela n'augure rien de bon pour notre pauvre pasteur. Après son passage sur la scène de crime, la police a perquisitionné son domicile et, de source sûre, je sais qu'on l'a même vue sortir avec certains de ses effets personnels.

J'arque un sourcil.

— J'imagine que tu tiens cette information de Sylvia, elle vit en face de chez lui.

— Maggie était présente aussi. Elle a tout vu, précise Bertha. Écoute, je sais combien tu n'es pas très enthousiaste à l'idée d'être revenue à Harland Creek, mais c'est ta ville natale, et le pasteur John est notre famille à tous. On doit le tirer d'affaire avant qu'il ne finisse derrière les barreaux pour un crime qu'il n'a pas commis. Et puis, tu sais, quand tout le monde te pensait coupable du meurtre de Gertrude, tu figurais sur la liste de ses prières.

Je reste coite.

— C'est vrai ?

— Est-ce que tu te rappelles ton état quand tu es devenue

la principale suspecte ?

À l'évocation de ce souvenir douloureux, je sens alors la culpabilité me ronger les entrailles et finis par capituler.

— Bon, qu'attendez-vous de moi exactement ?

— Va voir Dean et demande-lui s'ils ont d'autres suspects en lice. À toi, il te dira tout ; il a encore le béguin, lance Bertha avec un grand sourire.

Décontenancée, je bats plusieurs fois des paupières.

— Non, il n'a pas le béguin, Dean sort avec Samantha Vaughn, dis-je dans un effort de ne pas grimacer en prononçant son prénom.

Samantha incarne tout ce que je ne suis pas : belle brune, auréolée d'une carrière accomplie, propriétaire de son officine. Moi, blonde platine, une carrière en chute libre, contrainte de travailler dans la mercerie de ma mère.

— Je n'y connais peut-être pas grand-chose, mais s'il y a un domaine qui n'a aucun secret pour moi, ce sont bien les hommes. Dean Gray a encore un faible pour toi, persiste Bertha, une main sur mon épaule. Sauf que vous avez tous les deux bien trop de fierté pour l'admettre. Alors, rends-toi au commissariat et use de tes charmes pour le faire parler. Ce soir, quand on se réunira chez ta mère, tu nous raconteras.

Elle me lance un dernier regard insistant puis se tourne vers son amie.

— Allez, viens, Agnes, j'ai du pain sur planche.

L'apicultrice me lance un clin d'œil, puis s'éclipse en compagnie de Bertha.

Quant à moi, incapable de sortir de mon mutisme, je demeure immobile jusqu'à ce que mon sentiment de culpabilité s'évanouisse.

Une fois l'esprit légèrement plus apaisé, je me décide à m'activer. Mes clés de voiture en main, je retourne le panneau d'ouverture sur la face « Fermé » et prends la direction du commissariat.

CHAPITRE TROIS

Moins de cinq minutes plus tard, la vieille voiture de ma mère me conduit sans encombre au poste de Harland Creek avant de pétarader dès l'instant où je coupe le moteur. Deux agents adossés à leur véhicule font aussitôt volte-face. Pour la discrétion, on repassera.

Embarrassée, j'articule un « désolée ».

Bien que je déteste l'admettre, mon côté superficiel regrette amèrement le modèle luxueux de ma grande époque à New York. Fort heureusement, ce tas de ferraille est seulement provisoire. Vivement que je reprenne le contrôle de ma vie.

J'attrape mon sac à main et m'empresse de quitter la guimbarde, non sans manquer de consulter mon reflet dans la vitre. Une fois mon T-shirt ajusté dans mon jean, je tourne les talons et fais mon entrée. À nous deux, Dean.

Au comptoir, pas l'ombre d'un chat. Tant pis, j'opte directement pour la case confrontation et trouve la porte de son bureau entrouverte. N'oubliant pas les bonnes manières, je toque plusieurs coups brefs et prends la liberté de pénétrer dans la pièce avant de regretter aussitôt cette décision.

Les bras m'en tombent, tout comme ma mâchoire qui s'ouvre involontairement sous l'effet de la surprise. Perchée sur le coin du bureau de mon ex-petit ami, Samantha Vaughn lui fait la causette et le fait manifestement rire aux éclats.

À la seconde où Dean m'aperçoit, son sourire disparaît.

— Dove ?

— Désolée de vous interrompre. Je peux revenir plus tard, marmonné-je en m'apprêtant à faire demi-tour.

— Non, attends, j'allais partir, me hèle la jolie brune avec enthousiasme. Je venais juste déposer des biscuits à Dean. C'est la première fois que j'essaie la recette de ta maman.

Dans un effort incommensurable pour cacher mon dédain envers cette femme, je lui rends tant bien que mal son sourire.

— Ah oui ? Quelle recette ? tenté-je d'un ton faussement aimable.

— Celle de ses biscuits aux raisins. Mildred m'a dit que Dean en raffolait.

Elle m'offre un clin d'œil complice puis se tourne vers Dean.

Je bous intérieurement. Pourquoi ma mère lui a-t-elle révélé sa recette ? À quoi pensait-elle, bon sang ? On ne partage pas une recette de famille précieusement gardée depuis des siècles ! Je lui en toucherai deux mots à mon retour.

— Allez, je vous laisse tranquille. Contente de t'avoir revue, Dove.

Elle m'adresse un petit signe de ses longs doigts fins puis s'éclipse. Bon débarras.

— Si je m'attendais à une telle surprise, embraye Dean en m'étudiant avec attention.

— Oui, eh bien, je voulais savoir si tu avais besoin de plus d'informations concernant le… cadavre.

Mal à l'aise par le seul fait de prononcer ce mot interdit,

j'avale ma salive et prends place sur un fauteuil tandis qu'il se penche légèrement en avant, les bras posés sur son bureau.

— Non, on a recueilli toutes les informations qu'il nous fallait hier. Tous ceux et celles présents ont déjà fait leur déposition.

— Oui, c'est ce que j'ai cru comprendre. Etta avait l'air de crier sur tous les toits qu'elle avait eu vent de l'altercation entre Eleanor et son frère.

Dean m'étudie avec attention. Je décèle une once de méfiance dans ses yeux bleus.

— Comment le sais-tu ?

— Je l'ai surprise en train d'en parler à Agnes dans le couloir de l'église, dis-je en haussant les épaules.

— Tu l'as surprise ? Tu n'écoutais pas plutôt aux portes ?

L'air interrogateur, il penche sa tête sur le côté. Je grimace.

— Non, j'étais juste... à côté. Sans qu'elles me voient.

Un rictus exaspérant s'étire alors aux coins de ses lèvres.

— Tu n'essayais pas plutôt de dérober un des donuts, Dove ?

Je le déteste. Pourquoi me connaît-il aussi bien ? Je l'observe quelques secondes sans broncher, puis bats des paupières avant d'agiter une main en l'air.

— Revenons-en à nos moutons, d'accord ? Je tenais simplement à t'informer que, selon moi, le pasteur John n'a rien à voir avec cette histoire. Il doit plutôt s'agir d'un accident et non d'un meurtre.

— Je n'aurai le fin mot de l'histoire qu'une fois le rapport du médecin légiste obtenu.

— Dean, franchement, qui s'en prendrait à une femme dans un baptistère ? Certainement pas le pasteur.

Pour appuyer mes propos, je plante mon regard dans le sien, le menton levé.

— Dove, dis-moi plutôt ce que tu es vraiment venue faire ici.

Vexée, je pousse un soupir et lève les yeux au ciel.

— J'ai laissé Agnès me convaincre de vérifier si tu comptais réellement suspecter le pasteur du meurtre d'Eleanor.

— Jamais je ne mettrai la culpabilité sur le dos de qui que ce soit, réplique-t-il, horrifié. Ici, chaque affaire est passée au crible. À t'écouter, nous ne sommes qu'une bande de ripoux pourris jusqu'au trognon.

Je secoue vivement la tête.

— Ce n'est pas ce que j'ai voulu dire.

— Pour le moment, on s'intéresse au pasteur et à sa relation avec sa sœur. Vraisemblablement, entre eux, tout n'était pas aussi rose que ce que cette ville le laissait penser.

— Comme dans n'importe quelle famille. Tu ne penses quand même pas sérieusement qu'il a tué sa propre sœur ?

— Dove, j'ai beaucoup de travail et je suis certain que ta mère a besoin de toi en boutique, conclut-il en retrouvant sa nonchalance exaspérante.

La tête haute, je me lève, m'empare de mon sac à main — et de ma fierté — et quitte la pièce dans un silence absolu.

CHAPITRE QUATRE

Une fois douchée, je dévale les escaliers et rejoins la petite troupe qui se réunit chez ma mère ce soir. À entendre la cacophonie provenant du salon, aucun doute, les couturières de Harland Creek sont toutes présentes.

— Je peux avoir un macaron, s'il te plaît Weenie, réclame poliment Lorraine Chisolm.

Alors que je pénètre dans le séjour, le groupe a pris place autour d'un grand tableau blanc installé sur un chevalet.

Sans un mot, je les regarde, les bras croisés, siroter leur tasse de thé habituelle accompagnée de divers encas sucrés.

— Mildred, il faut absolument que tu me donnes la recette de tes biscuits aux raisins, ils sont à tomber, s'extasie Elizabeth Harland en croquant goulûment le sien.

— Tu peux compter sur elle, Maman la divulgue à tout-va, dis-je en dardant un regard courroucé vers ma mère.

Je n'en reviens toujours pas.

— Dove ! s'exclame ma mère avec joie en remarquant ma présence. Contente de te voir parmi nous. On s'apprêtait à commencer la réunion.

— Quelle réunion ? m'étonné-je en piquant un sablé.

Après ceux de ma mère, les biscuits d'Elizabeth sont ceux que je préfère.

— On compte bien résoudre cette affaire et innocenter le pasteur. Même si, entre nous, je ne lui en voudrais pas d'avoir tué Eleanor, décrète Bertha sans détour, arrachant un hoquet de surprise à sa voisine.

— Bertha, le pasteur n'a pas tué sa sœur. Ne dis pas de bêtises, la réprimande aussitôt la maîtresse des lieux.

— Selon Etta, ils se disputaient parce qu'elle comptait suspendre les fonds destinés à nos missionnaires.

— Comment peut-on faire une telle chose… murmura Donna Williams en secouant la tête.

— Eleanor était une femme odieuse. Personnellement, je ne suis pas désolée qu'elle ne soit plus des nôtres, persifle Maggie Rowe.

Un silence embarrassant s'abat alors dans le salon.

— Qu'est-ce que j'ai dit ? s'étonne la coiffeuse.

— Allez, Lorraine. Dis-lui, l'encourage Elizabeth devant la mine renfrognée de Maggie.

— Me dire quoi ?

Alors qu'elle jette un regard effaré à ses amies, Lorraine prend une profonde inspiration.

— Apparemment, tu te serais embrouillée avec Eleanor le jour de sa mort.

La concernée pousse un petit grognement sarcastique.

— Vraiment ?

— C'est plus sérieux que c'en a l'air, Maggie, confirme Agnes. Sur une vidéo, on te verrait sortir d'un bâtiment, retrouver Eleanor dans une allée et lui donner une claque.

Son amie et associée Sylvia ne manque pas de réagir.

— Maggie, c'est vrai ? Tu t'en es prise à Eleanor ?

— Et si je lui avais donné une claque à cette vieille harpie ? Quelqu'un aurait dû le faire depuis longtemps, rétorque-t-elle sur la défensive.

Tout le petit groupe la scrute tandis qu'elle pose sa tasse de café et toise chacune de ses consœurs, le menton en l'air, les bras croisés sur sa poitrine.

Spectatrice de ce silence insoutenable et de la détresse de cette pauvre Maggie, je décide d'intervenir.

— D'accord, d'accord, ne nous enflammons pas, dis-je en levant la main, où est le marqueur ?

— Tiens, dit Elizabeth en me tendant un feutre.

— Écoutez, je suis certaine à mille pour cent que Maggie n'a rien fait. Je sais ce qu'on ressent quand on nous pense coupables d'un crime que l'on n'a pas commis, dis-je en adressant un regard compatissant à l'accusée. Listons plutôt tous les scénarios possibles et procédons par élimination.

— On peut aussi leur donner des noms de bloc ? suggère Weenie, une lueur d'excitation dans les yeux. J'adore chercher des idées. En plus, j'en ai déjà une pour le pasteur.

Je lui souris poliment.

— Laquelle ?

— Cathedral Windows. Comme il est pasteur.

Un sourire radieux fend alors son visage.

— C'est parfait, Weenie.

— Merci, répond-elle, fière de sa trouvaille tandis que j'inscris le premier bloc sur le tableau.

— Bon, si je fais partie de la liste des suspects, je peux au moins choisir mon nom, grommelle Maggie.

— Je ne pense pas, objecte aussitôt Bertha en secouant la tête.

— Dans ce cas, je m'en vais.

Elle se lève, rapidement imitée par Sylvia.

— Laisse-la choisir son nom ou moi aussi, je m'en vais.

— Je pense qu'on peut lui accorder ça, dis-je avec douceur.

Toutes les femmes hochent la tête en signe d'approbation, à l'exception de Bertha.

— Quel nom veux-tu, Maggie ? lui demande son amie.

— Wild Goose Chase. Parce que comme le dirait si bien cette expression anglaise, autant courir après la lune.

La mine renfrognée, elle reprend place tandis que le reste du groupe tente de lui présenter ses excuses.

— On oublie quelqu'un, dis-je en achevant d'écrire le surnom de Maggie.

— Qui donc ? demande ma mère.

— La seule personne toujours présente à l'église. À dire vrai, je trouve ça curieux qu'Etta ait parlé à Agnes de cette dispute le matin même du meurtre.

— Dove a raison. Quand j'ai déposé mes pâtisseries la veille au bureau du pasteur, Etta n'a rien dit à ce sujet, confirme Agnes.

Elle marque une pause et me lance un regard entendu.

— Ajoute-la, Dove.

— Comment voulez-vous qu'on la surnomme ?

— Bear's Paw, propose Agnes.

— Bear's Paw ? Pourquoi ?

— Parce que chaque fois que je croise cette femme, elle est en train de manger une sorte de pâtisserie, et c'est très souvent une patte d'ours.

Logique. Je m'exécute et inscris le troisième nom.

— Et si on allait chez le pasteur fouiller la chambre d'Eleanor ? Je parie qu'elle y cachait tout un tas de secrets, suggère Bertha en fourrant un énième biscuit dans sa bouche avant de mastiquer avec détermination.

— Je suis sûre que la police a déjà mis la main sur tous les éléments nécessaires à l'enquête.

— Peut-être, mais on ne sait jamais, ils sont peut-être passés à côté d'une piste essentielle, concède Agnes. On devrait apporter au pasteur un bon petit plat et le distraire pendant que quelqu'un part fouiller sa chambre.

Sept paires d'yeux convergent alors vers moi.

— Moi ? Hors de question. Je n'irai pas dans sa chambre. Cette maison me file les chocottes !

— J'ai toujours trouvé ça étrange qu'ils vivent ensemble après toutes ces années, fait Weenie.

— Eh bien, le testament de leur père mentionnait son souhait de conserver le manoir familial en l'état, c'est-à-dire qu'Eleanor et le pasteur John restent y vivre et qu'il ne soit jamais vendu. Apparemment, sa fille était l'exécutrice testamentaire, elle a pratiquement contraint son frère à quémander le moindre dollar de son héritage, relate Sylvia avec mépris. Maintenant qu'elle est partie, j'imagine que le pasteur en est le seul bénéficiaire.

Après ces abominables révélations, un ange passe. Je me racle la gorge.

— J'ai une meilleure idée, plutôt que d'aller chez eux, retournons à l'église ; peut-être qu'il reste des indices qui auraient pu échapper aux enquêteurs.

— Bien vu, Dove, approuve Elizabeth en souriant. On devrait y aller maintenant, vu que personne n'y est. J'emmène Petunia.

Je l'interpelle, incrédule, tandis que tout le monde se lève.

— Attends, je ne crois pas que tu puisses amener une chèvre dans une église.

— Bien sûr que tu peux, renchérit Bertha. C'est la meilleure détective qu'on ait.

Tandis que le petit groupe s'affaire à quitter la maison, j'encaisse cette remarque que personne ne conteste. C'est la meilleure. Je me fais voler la vedette par une chèvre.

CHAPITRE QUATRE

Les cheveux à peine secs, je prends la tête du cortège de véhicules en compagnie de ma mère, et conduis, jusqu'à l'église, la troupe d'enquêtrices en herbe.

— Gare-toi plutôt derrière, m'indique ma mère, une pointe d'inquiétude dans la voix. Je ne tiens pas à attirer l'attention.

— Tu sais, on pourrait rentrer et oublier toute cette histoire.

En cet instant, la fatigue me somme d'aller au lit. Hélas, ma mère voit les choses autrement.

— Non, impossible. Le pasteur a besoin d'aide, je ne veux pas le laisser tomber.

À court d'excuses, j'obéis et range la voiture à l'abri des regards. À vingt-deux heures passées, contrairement à moi, Harland Creek se prépare à tomber dans les bras de Morphée. Le long des rues plongées dans le silence, toutes les boutiques ont fermé leur devanture depuis une éternité, seules quelques habitations veillent encore.

Prêt à passer à l'action, l'ensemble du groupe commence à

se diriger vers l'église, alors que Bertha descend seulement du van.

— Surveille ta chèvre, Elizabeth ! grommelle la retardataire. Cette satanée bestiole a manqué de faire un trou dans ma chaussure.

— Petunia ne peut pas s'en empêcher, elle a un métabolisme très rapide, se défend sa propriétaire en tirant sur la laisse de l'animal pour la sortir du fourgon.

— Bertha sait qu'il vaut mieux éviter de porter ses chaussures puantes. Petunia n'y peut rien. Les chèvres raffolent des déchets, me glisse discrètement Weenie, arrivée à mon niveau.

Je manque de m'étouffer de rire, Agnes approche.

— Pardon ? Qu'est-ce que vous racontez toutes les deux ?

Bon sang, cette femme a une ouïe surnaturelle.

— Weenie disait simplement qu'elle avait oublié de sortir ses ordures pour le passage des éboueurs demain, tenté-je pour essayer de détourner son attention.

— Fais-le avant sept heures demain matin, et tu seras tranquille, répond son amie en haussant les épaules avant de se tourner vers moi. Dove, vas-y, ouvre la porte.

— Moi ? Pourquoi moi ?

— Je n'ai pas envie que mes empreintes se retrouvent sur la poignée.

Heureusement, la fraîcheur des derniers jours m'a poussée ce matin à opter pour un sweat à manches longues, alors je me dévoue et tire la manche de mon haut pour recouvrir ma main et actionner la poignée. La porte s'ouvre, comme par magie.

— Vous devriez sérieusement penser à fermer l'église avant de partir, dis-je, perplexe.

— Que pourrait-on bien voler ici ? Le livre de cantiques ? raille Bertha en passant devant moi pour prendre la direction de la salle paroissiale.

La connaissant, elle est partie fureter du côté du réfrigérateur.

— On a fait l'acquisition d'un nouveau système de sonorisation, m'informe Weenie, l'air soucieux. Quelqu'un pourrait nous le dérober.

— Personne ne vole dans les églises, ils n'oseraient pas, rétorque Elizabeth en entrant dans le baptistère.

Je la suis des yeux, admirative de sa confiance aux autres. Pour ma part, la vie m'en a déjà fait suffisamment baver. Je peine à croire que tous les gens soient foncièrement bons. Agnes me tire alors de mes pensées avec un petit coup de coude en direction de la scène de crime.

— Allons-y.

Par réflexe, j'ai un mouvement de recul.

— Je vais plutôt voir ce que fabrique Bertha, dans la salle paroissiale.

— Pas besoin, Dove, intervient Sylvia. Elle a déjà fini les derniers beignets, elle se prépare une assiette avec les restes.

— Très bien, dis-je en me forçant à prendre la direction du baptistère.

Arrivée sur place, j'aperçois Elizabeth en haut des escaliers, qui se tourne vers moi. En guise d'encouragement, Petunia me donne un coup de tête dans la cuisse et pousse un bêlement.

— Ils ont déjà vidé toute l'eau. On devrait aller dans le bassin et voir s'ils n'ont rien laissé, suggère-t-elle.

— Je ne sais pas. Tu risques de laisser tes empreintes en grimpant, objecte Maggie en secouant la tête. Il vaudrait mieux éviter.

— De quoi est-ce que tu parles ? renchérit Donna. Son ADN est déjà partout dans cette église. On vient tout le temps ici…

Elle s'interrompt et me lance un coup d'œil qui en dit long.

— Enfin, presque.

Tous les regards sont désormais braqués sur moi.

— Ce n'est pas grave, Dove, je prie encore pour toi, me console Weenie avec un sourire aimable.

— Merci, Weenie. Rassurant de savoir que quelqu'un ici pense que je ne suis pas condamnée à suivre un chemin alternatif vers l'éternité.

Je rejoins Elizabeth et examine la zone en question.

— Je ne vois rien. Vous pouvez être certaines qu'une fois le bassin vidé, la police a tout passé au peigne fin. Penchons-nous plutôt sur les minutes qui ont précédé sa mort. Comment a-t-elle fini dans le baptistère ? L'auteur est vraisemblablement assez fort puisqu'il l'a maintenue sous l'eau, dis-je en me tournant vers les sept femmes.

— Est-ce qu'on est certaines que la noyade a causé sa mort ? relève Sylvia.

— Officiellement ? Non, objecte Agnes. C'est évident, je veux dire, je l'ai bien regardée et elle ne portait aucune marque.

— Elle a raison. J'ai parlé avec le médecin légiste et, selon lui, il n'y avait aucune lésion visible, confirme Lorraine.

— OK, bon, vu qu'on est ici, dis-je en fronçant les sourcils, profitons-en pour fouiller le sanctuaire, peut-être qu'un détail nous sautera aux yeux.

— Même les salles de cours du dimanche ? demande Weenie.

— Oui. Inspectez scrupuleusement toutes les pièces. Et qu'une de nous garde un œil sur Petunia. Si on pouvait éviter qu'elle dévore la moitié de l'église…

En retour, l'animal me fixe de ses prunelles perçantes.

— Je viens avec toi, Dove, lance Maggie, allons voir ce sanctuaire.

— C'est parti.

On franchit la pièce plongée dans le noir. Dès l'instant où

j'actionne l'interrupteur, une puissante odeur de cire antiquaire mêlée à celle de vieux coussins poussiéreux imprègne l'air ambiant. Malgré l'obscurité extérieure, les vitraux faiblement illuminés me transportent quelques décennies plus tôt, vers de lointains souvenirs d'enfance, à l'époque où leur éclat resplendissait à la lumière du jour.

Un bref mouvement attire tout à coup mon attention au fond de la pièce.

— Qui est là ? dis-je avec appréhension.

Derrière l'un des bancs, une silhouette entièrement vêtue de noir surgit alors et détale vers la porte arrière.

Sans réfléchir une seconde, je bondis sur sa trajectoire pour lui couper la route.

— Hé, stop !

Malgré ma vaine tentative de le ceinturer, un violent coup de coude me percute au visage et m'expédie au sol. Je pousse un hurlement et m'effondre par terre.

— Dove !

Maggie accourt à mes pieds.

— Dove ! Est-ce que ça va ?!

Je me redresse avec difficulté et touche furtivement ma joue endolorie. Sur mes doigts, du sang rouge vif contraste avec ma peau diaphane.

— Pas tellement, non, murmuré-je en levant les yeux vers Maggie.

L'instant d'après, je sombre dans le néant.

CHAPITRE CINQ

— Aïe.

Je grimace d'inconfort alors que Ben Owens s'applique à m'étaler une bonne dose d'onguent sur la joue.

— Ça brûle.

— Désolé. Je n'ai pas envie que ta blessure s'infecte, précise l'aide-soignant en manipulant mon visage avec précaution.

— Si c'est juste de la bacitracine, j'en mettrai à la maison.

— Quel genre de soignant serais-je si je ne procédais pas à un examen physique complet ?

Un sourire taquin s'étire au coin de ses lèvres.

Sous l'effet de ma joue enflammée, j'ignore si la sensation de chaleur provient réellement de ma brûlure ou de mon embarras face à cette phrase ambigüe. Je déglutis. Non, Ben fait seulement son boulot.

En l'observant plus attentivement, je constate avec surprise à quel point il semble différent du lycée : fini l'intello au corps long et frêle, solitaire, le nez plongé dans ses bouquins. Tandis qu'il panse ma peau, je sens son regard bleu azur pénétrer mon épiderme contusionné. J'en profite pour admirer son corps mince et athlétique mis en valeur par sa tenue médicale. À chacun de ses mouvements, ses biceps se contractent sensuellement.

— Je peux lui parler ?

Visiblement impatient que l'examen prenne fin, Dean, arrivé peu de temps après l'accident, m'observe avec gravité.

— Elle n'aura pas besoin de points de suture, mais en perdant connaissance, sa tête a percuté le sol. Donc, il faudra peut-être qu'elle revienne à l'hôpital pour se faire ausculter, déclare Ben en m'étudiant de près.

— Elle n'est pas tombée de très haut, intervient Maggie avec obligeance. Elle se trouvait déjà par terre quand la vue du sang l'a fait tourner de l'œil. J'ai glissé mon pied au dernier moment pour amortir sa chute.

— Je n'irai pas à l'hôpital, dis-je sur un air de défi en scrutant le visage aux traits parfaitement dessinés de Ben.

— Ce n'est pas comme ça que ça marche, Dove, précise l'aide-soignant, la tête penchée.

— Ça m'est égal. Je n'irai pas. Point barre.

Je croise les bras sur ma poitrine et le fixe avec hargne.

— Très bien. Dans ce cas, je parlerai à ta mère des éventuels symptômes dus au traumatisme crânien pour qu'elle puisse te surveiller et appeler l'ambulance si nécessaire, conclut-il avant de me lancer un dernier regard appuyé.

— Qu'est-ce qui t'a pris d'aller à l'église à une heure aussi tardive ? demande soudain Dean.

— Je pensais qu'une église, c'était comme la maison de Dieu. Ne reste-t-elle pas ouverte à tout moment ? dis-je pour ma défense.

Tout en rangeant son matériel, Ben se met à glousser. Dean lui jette un regard glacial. Prête à rentrer chez moi, je me relève avec vigueur et le regrette aussitôt. La pièce autour de moi se met à tanguer dangereusement. Pour éviter d'alerter Ben, je me ravise et reprends place sur le banc.

— Tu voulais me parler, Dean ?

Le shérif lance un dernier regard insistant à l'aide-soignant, qui finit par comprendre le message et déguerpir, Maggie sur ses talons, curieuse d'en apprendre davantage sur la maladie de la goutte.

— Tu es sûre que ça va ? s'enquiert Dean, son regard braqué sur ma joue blessée.

— Oui, ce n'était qu'un coup de coude au visage.

— Tu as pu voir ton agresseur ?

— Non, juste qu'il portait du noir.

— Et selon toi, c'était un homme, pas une femme ?

— J'en suis persuadée. Il était grand et très mince. Mais personne de familier. Je ne pense pas qu'il vive à Harland Creek, dis-je en posant ma tête contre le dossier du banc.

Je ferme les yeux quelques instants, avant de poursuivre, l'air de rien.

— Et l'autopsie, qu'est-ce que ça donne ? Eleanor est morte par noyade ?

— Dove, tu sais pertinemment que je ne peux pas divulguer de détail sur une enquête en cours.

Alors qu'il appuie sa hanche contre le banc, ma mère surgit, affolée, et atterrit à mes côtés, sa main sur la mienne.

— Dean, que fais-tu pour mettre la main sur son agresseur ? contre-attaque-t-elle. Je n'en reviens pas qu'autant de criminalité sévisse à Harland Creek.

— Maman, il ne se passe pratiquement rien.

— D'abord, Gertrude, maintenant, Eleanor, renchérit Bertha. L'une de nous sera la prochaine. Souvenez-vous-en : la mort se manifeste toujours par trois.

Elle croise ses bras sur sa poitrine généreuse et nous défie du regard.

— Tu crois ? couine Weenie en me lançant un coup d'œil

apeuré. Je devrais peut-être m'acheter une arme. Sait-on jamais, pour me protéger…

— Oui, on devrait toutes, d'ailleurs, convient Agnes en hochant vigoureusement la tête.

— J'en ai déjà une, moi.

Sylvia ouvre grand son sac et en extrait un gros revolver qu'elle se met à faire tournoyer dans les airs. Affolé, tout le monde se baisse, les mains sur la tête.

— Donnez-moi ça, ordonne Dean en saisissant le pistolet des mains de sa propriétaire avant de le décharger. Vous détenez un permis pour cette arme ?

— Oui, balbutie-t-elle. Je me la suis achetée quand Eleanor a commencé à débarquer sans prévenir à la boutique pour me menac…

Consciente d'en avoir trop dit, Sylvia s'interrompt, réalisant la teneur de sa révélation. Abasourdi, Dean la scrute désormais avec la plus grande attention.

— Ne me regardez pas comme ça. Si elle avait été tuée par balle, je ferais partie des suspects. Mais ce n'est pas le cas, riposte-t-elle, le menton levé.

— Vous allez tout de même me suivre au poste et répondre à quelques questions.

— Est-ce que je peux passer demain après déjeuner ? J'ai deux permanentes le matin.

Exaspéré, il acquiesce, puis lâche un soupir tandis qu'elle s'éloigne en compagnie du reste du groupe. Il se tourne alors vers moi.

— Dean, tu sais comme moi que Sylvia n'a pas tué Eleanor, dis-je en me forçant à me lever.

Par chance, aucun vertige ne se manifeste.

— Je sais. Mais j'aimerais en savoir plus sur son associée, Maggie. Elle ne dispose pas d'alibi le jour du meurtre. Et, sur la caméra de surveillance, on la voit distinctement donner une claque à Eleanor.

— Elle en méritait peut-être une bonne.

— Même si c'était le cas, personne ne mérite de mourir.

Il m'observe quelques secondes avant d'approcher sa main près de mon visage pour m'effleurer délicatement la joue.

— Dove, il faut qu'on parle.

— Dean…

Alors que je m'apprête à répondre, son téléphone en profite pour jouer les rabat-joie.

— Salut, Samantha.

Mon estomac dégringole de dix étages. Hors de question de rester pour l'écouter jacasser avec *elle*.

Dean attrape mon bras, mais je ne lui prête pas la moindre attention. Désabusée, je secoue la tête, ne rêvant que d'une seule chose : rentrer chez moi me coucher et prétendre que cette soirée n'a jamais existé.

CHAPITRE SIX

Le lendemain matin, la joue encore meurtrie, j'émerge d'une généreuse grasse matinée et enfile une tenue confortable. Parée à affronter la chute brutale des températures, j'opte pour un jean et mon sweat rose préféré. À mon grand dam, une vilaine ecchymose marque désormais le côté de mon visage.

Il est déjà presque onze quand je me stationne en face de la mercerie. Je m'empresse de me faufiler à l'intérieur sans toutefois attirer l'attention. Loin de moi l'envie d'exhiber ma mésaventure. Lorsqu'elle m'aperçoit, ma mère m'offre un grand sourire de bienvenue puis reprend le fil de sa discussion avec une cliente.

Sur ma machine à bras long, une nouvelle commande m'attend. Un plaid Quilt of Valor aux couleurs du drapeau américain destiné à un vétéran en maison de retraite.

Prête à travailler, je sors mon smartphone et lance mon application de musique. Les premières notes de « Dreams » de Stevie Nicks s'égrènent. Je souris et monte le son avant de m'installer à mon poste tout en fredonnant.

Le temps de mettre mon appareil en route, je manque de sursauter quand une voix retentit derrière moi.

— Dove, est-ce que tu as quelques minutes à m'accorder ?

Je relève la tête.

— Bien sûr, entrez, dis-je précipitamment en découvrant le frère d'Eleanor.

J'attrape maladroitement mon téléphone et interromps la mélodie, l'air penaud.

— Désolée…

— Ce n'est pas grave, la musique adoucit les mœurs, comme on dit.

Il me sourit tristement. Bien qu'il soit de morphologie mince, le pasteur semble avoir perdu cinq kilos depuis la mort de sa sœur. Trahissant son air préoccupé, des cernes sombres encerclent ses yeux tandis qu'une expression soucieuse marque le pourtour de ses lèvres.

Aussi loin que je me souvienne, je n'ai jamais vu le pasteur aussi contrarié.

— Comment vas-tu, Dove ? Pardonne-moi de ne pas avoir pu te parler hier soir, la police voulait savoir si je connaissais ton agresseur.

— Ce n'est pas votre faute…

Je marque une pause, hésite, puis décide de passer aux aveux. Si on ne peut pas se confier à un homme d'Église, à qui peut-on dire la vérité ?

— Pasteur, en toute franchise, nous étions à la recherche d'indices après le… l'accident d'Eleanor, dis-je, butant sur le mot « meurtre ».

À l'évocation de ce souvenir douloureux, sa bouche ne forme désormais plus qu'une ligne fine.

— C'est ce que j'ai cru comprendre quand j'ai vu les lumières de l'église s'allumer.

— Vous nous avez vues ? Pourquoi ne pas être venu ?

Confuse, je fronce les sourcils. Il pousse un long soupir.

— Parce qu'il est difficile pour moi d'y aller, ne serait-ce que dans l'enceinte du bâtiment. Hier, quand la police est venue m'avertir de l'incident, je me suis rendu sur place, mais j'ai préféré rester à l'extérieur pour répondre à leurs questions.

— Je comprends mieux pourquoi je ne vous ai pas vu, murmuré-je les bras croisés, une hanche contre le comptoir.

— Ça a l'air douloureux, on dirait, remarque-t-il avec empathie en désignant mon visage.

— C'est moins grave que c'en a l'air.

— Aucune chance d'identifier ton agresseur ?

— Non, à part qu'il était grand et qu'il portait un sweat à capuche noir. J'ai eu tellement mal quand il m'a agressée que je n'ai pas pris le temps de me concentrer sur lui.

Visiblement à bout, le pasteur expire longuement et secoue la tête.

— Je suis sincèrement navré, Dove.

— Les… Les femmes du club m'ont dit que vous aviez prié pour moi quand on m'accusait du meurtre de Gertrude.

— Je savais que tu n'avais pas pu la tuer, déclare-t-il avant d'afficher un air narquois. La ville entière sait combien tu ne supportes pas la vue du sang.

Je souris.

— Oui, et pourtant, certains me pensaient coupable.

— Moi, non. Et beaucoup ont compris que tu n'avais rien à voir avec cette affaire en connaissant ton tempérament.

— Vous savez, Pasteur, Eleanor me croyait coupable.

Stupéfait, il hausse les sourcils. Apparemment, ce détail n'est jamais remonté jusqu'à lui.

— Je l'ignorais…

— Vous n'étiez pas proche de votre sœur ? Je veux dire, elle ne passait pas son temps à parler dans mon dos ?

— Non, Dove, nous avions beau vivre ensemble, Eleanor ne se confiait jamais à moi, avoue-t-il avec mollesse. Notre amitié n'a duré qu'un temps, quand nous étions enfants.

Difficile d'imaginer Eleanor en gentille petite fille.

— Comment était-elle ? Enfant, je veux dire.

Aussi vile et cruelle qu'à l'âge adulte ?

— Assez différente de la femme qu'elle est aujourd'hui, enfin qu'elle était, commence-t-il avant de déglutir péniblement.

Il marque une brève pause puis reprend son récit.

— À l'époque, elle était constamment dans mes pattes. Elle voulait tout le temps faire des jeux de société. C'était une enfant brillante. D'ailleurs, elle me battait tout le temps. Je n'aime pas l'admettre, mais je détestais jouer avec elle. Eleanor me suivait partout comme un petit chiot, alors que moi, je voulais rester avec mes copains.

Perdu dans ses souvenirs, il passe une main distraite sur son crâne dégarni.

— À vous entendre, cela ressemble à n'importe quelle relation frère et sœur.

— Beaucoup n'appréciaient pas Eleanor, mais elle n'a pas toujours été cette femme méchante, assure le pasteur.

— Alors que s'est-il passé ?

Cette question soudaine lui provoque une moue dédaigneuse qu'il peine à dissimuler.

— Certaines choses feraient mieux de rester enfouies dans le passé, Dove, déclare-t-il d'un air éloquent. Il est d'ailleurs préférable de tenir les membres du club de couture en dehors de l'enquête.

Je frissonne.

— Ah, et pourquoi donc, Pasteur ?

L'homme d'Église secoue vivement la tête et lance un bref coup d'œil vers la porte.

— Il y a eu bien trop de dommages collatéraux, murmure-t-il. Laisse-les en dehors de tout ça, d'accord ?

Au même instant, Agnes Jackson apparaît sur le pas de la porte, un large sourire égayant son visage.

— Bonjour, Pasteur. J'allais vous appeler au sujet de…

— Toutes mes excuses Agnes, mais je dois y aller.

Et, sans lui laisser le temps de répliquer, l'homme s'empresse de quitter la pièce et regagne l'accueil à grandes enjambées.

Interloquée, Agnes me fixe sans comprendre.

— Mais enfin, que se passe-t-il ?

— Tu veux la vérité ?

— Évidemment.

— Selon moi, le pasteur en sait plus sur la mort de sa sœur qu'il ne le laisse croire.

— Oh, Dove, il n'aurait tout de même pas…

— Tout ce que je sais, c'est qu'il ne veut plus qu'on se mêle de cette affaire, car il y a eu assez de blessés.

Ses yeux s'agrandissent avec surprise. Pourtant, Agnes s'abstient de commentaire, chose rarissime quand on la connaît.

Nos regards se croisent, puis elle soupire.

— J'imagine que tu vas nous dire d'arrêter les recherches.

Je bats plusieurs fois des paupières avant de me diriger vers mon téléphone pour remettre la musique en marche.

— Si tu veux mon avis, vous êtes toutes assez grandes pour prendre vos propres décisions. J'ai appris il y a bien longtemps que tenter de vous canaliser, mesdames, c'est peine perdue. À présent, je retourne à ma couture.

— C'est tout ? s'étonne Agnes.

— Non, mais en général, je réfléchis mieux quand je travaille. Dis aux autres de rester à l'écoute de la moindre information. On se rassemble bientôt pour comparer nos notes.

CHAPITRE SEPT

— Pour l'instant, on tient quatre suspects.

Elizabeth et Agnes, arrivées de bonne heure ce matin, et ma mère, m'écoutent attentivement, attablées autour d'une tasse de café et d'éclairs maison.

Par terre, Petunia pique un somme, pelotonnée sur le tapis de la cuisine.

— Quatre ? répète Elizabeth en fronçant les sourcils, le nez dans ses notes. J'avais noté le pasteur, soit Cathedral Windows, Maggie, alias Wild Goose Chase et Bear's Paw pour Etta.

— Tu oublies l'agresseur de Dove, rappelle Agnes, une lueur d'excitation dans les yeux.

— Exactement.

— Dommage qu'on ait déjà choisi Cathedral Windows comme surnom pour le pasteur. Comme c'est arrivé à l'église, il aurait parfaitement convenu à notre quatrième suspect.

— Il faut qu'on lui trouve un surnom, accorde ma mère avant de se tourner vers moi. Dove, une idée ?

Adossée contre le dossier de ma chaise, j'entame mon

éclair et, tout en mâchant lentement, mets en ébullition mes neurones.

— J'en ai une, oui, dis-je au bout de quelques secondes. Que pensez-vous de Jacob's Ladder ?

— Sauf que dans la Bible, Jacob était un homme droit. Contrairement à ce type, remarque Elizabeth.

— Oui, mais Jacob a aussi combattu avec l'ange du Seigneur. Et je peux vous affirmer que mon visage s'en souvient.

— J'aime bien, approuve Agnes en donnant un coup de coude à son amie. Allez, ajoute Jacob's Ladder.

Sa voisine s'exécute et inscrit la nouvelle désignation.

— Avec un peu de chance, cette enquête sera bientôt résolue. Ça me fiche les jetons de savoir qu'un meurtrier se cache peut-être parmi nous.

— Ne t'en fais pas, tout rentrera bientôt dans l'ordre et on pourra tous reprendre nos habitudes, dis-je en souriant.

— En parlant d'habitude, pourras-tu passer à la supérette ? me demande ma mère en s'essuyant les mains dans une serviette. Avec les filles du club, on cuisine à tour de rôle un plat pour le pasteur. J'imagine qu'il faut qu'on prévoie aussi un repas pour la cérémonie, après les funérailles. Il me faut certains ingrédients. Je vais te préparer une petite liste de courses.

Elle se lève et part dans le salon chercher un carnet dans son sac à main.

— Personnellement, j'ignore quand auront lieu les obsèques. Et toi ? demande Elizabeth à Agnes.

— Moi aussi. Mais elles ne se tiendront pas tant que le médecin légiste n'aura pas rendu le corps, rapporte-t-elle. Je suis sûre qu'on en saura plus bientôt.

Armée d'un stylo et d'un calepin, ma mère griffonne quelques mots, avant d'arracher une feuille et de me la tendre.

— Tiens, Dove. N'oublie rien, s'il te plaît. Je compte en préparer une bonne quantité pour que le pasteur en ait suffisamment pour tenir quelques jours.

Je soupire et récupère la note.

— Je m'en occupe, dis-je avant de prendre la direction des escaliers.

Trente minutes plus tard, j'arpente les allées de la petite épicerie, la précieuse liste dans une main, quand une voix m'interpelle.

— Bonjour, Dove !

Colin Bennet me gratifie d'un grand sourire tandis que je progresse vers lui. Propriétaire de la librairie *La Rose anglaise,* ce Britannique d'origine s'est installé il y a quelques années à Harland Creek. Notre première rencontre remonte à l'achat du dernier roman de l'une de mes auteures fétiches, Jodi Thomas, dans sa boutique.

— Bonjour, Colin, dis-je en lui rendant son sourire.

Je lance un coup d'œil à son panier garni de quatre steaks et d'une quantité de grosses pommes de terre.

— Dis donc, Gabriela et toi allez avoir des restes avec tout ça, lancé-je avec malice.

— Oh non, on reçoit un autre couple à dîner. Dean et Samantha.

Mon sourire s'évanouit.

— Je vois.

Il fronce les sourcils.

— Tout va bien ?

— Non, euh, oui. Je ne savais pas que Samantha aimait le steak.

Un beau mensonge, évidemment.

— Disons que je me suis dit que ça lui plairait, comme je la vois souvent manger au *diner.* Ce genre de restaurant sert rarement des plats sains.

— Tu as sans doute raison. Je suis certaine qu'elle adore le faux-filet, dis-je en me forçant à sourire.

Derrière lui apparaît alors sa petite amie, Gabriela, une tête de laitue dans la main.

— Ils n'ont plus de tomates fraîches, je me suis dit qu'on passerait en prendre chez Tante Agnes, décrète-t-elle avant de me sourire. Salut, Dove. Contente de savoir qu'ils n'ont pas fait de toi la suspecte numéro un cette fois.

J'esquisse un sourire.

— Et moi donc.

— Je vais peut-être aller voir s'ils ont plutôt du filet. Je doute que tout le monde soit fan du faux-filet, bredouille Colin, l'air anxieux.

— Je reviens, ajoute-t-il après avoir lancé un bref regard à sa compagne.

— Que se passe-t-il ? s'étonne Gabriela en m'observant.

Je hausse les épaules.

— Je ne sais pas. Je crois qu'il se demandait si Samantha était difficile en termes de nourriture.

— Ahh… Dean et Samantha. Que penses-tu de leur relation ? Ça ne te dérange pas ?

— Non, dis-je, les sourcils froncés avant d'adopter une attitude désinvolte. Je me fiche de savoir avec qui sort Dean.

— D'accord.

Un court silence s'interpose, puis elle se penche vers moi.

— Écoute, entre toi et moi, je pense qu'il ne t'a pas oubliée.

Interloquée, je bats des paupières, puis secoue la tête.

— Bien sûr que si. Notre histoire date du lycée.

— Oui, enfin bon…

Quelques rayons plus loin, des éclats de voix l'interrompent.

Quand on fait volte-face, le pasteur John, une boîte de

macaronis au fromage sous le bras, talonné par un homme courroucé, progressent rapidement vers nous.

Je reconnais alors Lester Hammond, un vétéran à la retraite et locataire de l'une des caravanes situées sur l'aire de camping-car Château appartenant à Eleanor. Avant sa disparition, elle l'avait elle-même acquise après le décès de l'ancienne propriétaire, Gertrude Brown. Malgré ses promesses de rénover et d'améliorer le camping, la sœur du pasteur était finalement revenue sur ses paroles et avait augmenté le loyer après plusieurs plaintes récurrentes.

— Vous avez les moyens ! Bien sûr que vous pouvez vous occuper des rénovations, aboie le vieil homme, le poing en l'air. La fuite dans mon toit ne fait que s'élargir, sans parler de l'hiver qui arrive. Il faut le réparer !

— Je comprends, Lester, mais je n'en ai pas les moyens. Attendons la fermeture de l'enquête et le versement de l'assurance-vie.

— L'assurance ?! Je vous parle de l'énorme héritage que votre père vous a laissé, à vous et à Eleanor. Toute la ville sait qu'elle était responsable des finances du foyer. Maintenant qu'elle n'est plus parmi nous, à vous d'honorer votre parole de chrétien et de réparer cette aire qui tombe en ruine.

— Lester, je ne peux pas. Il va falloir patienter jusqu'à ce que la police classe l'affaire.

— Je commence à en avoir assez d'attendre après des gens comme vous ou votre sœur, crache le vétéran en tapant du doigt la poitrine du pasteur. Vous ne valez pas mieux qu'elle. Vous avez beau lire la Bible, je ne suis pas dupe. Vous ne trompez personne, Pasteur. Vous feriez mieux de vous tenir à carreau ou vous finirez, vous aussi, au fond du baptistère.

Lester lance un dernier regard furibond à l'intention de l'homme d'Église, puis disparaît en claquant la porte de l'épicerie.

Gabriela sur mes talons, je m'empresse de rejoindre le pasteur, visiblement ébranlé.

Quand son regard croise le mien, la terreur transparaît dans ses yeux.

— Tout va bien, Pasteur ? dis-je en pressant doucement son épaule.

Il tressaille et dépose furtivement la boîte de pâtes sur une étagère.

— Je-je dois y aller.

La seconde d'après, il s'engouffre à son tour par la porte de la supérette.

— Je ne l'ai jamais vu comme ça, murmure Gabriela.

— Moi non plus, dis-je avant de me ruer vers la vitrine.

Sur le parking, Lester, au volant d'un vieux camion Ford bleu et blanc, fait rugir son moteur avant de rejoindre la route.

Il n'y a pas l'ombre d'un doute. Lester Hammond a explicitement proféré des menaces à l'encontre du pasteur. Tout porte à croire que les deux hommes partagent un passé trouble commun.

Alors que je récupère un caddy pour enfin commencer mes emplettes, je prends mentalement note : ne pas oublier d'ajouter le vétéran à la liste des suspects.

CHAPITRE HUIT

— Il y en a pour quinze jours, remarqué-je en lorgnant avec envie l'abondance de plats étalés sur le comptoir de la cuisine.

— On est dans le sud, Dove, opine ma mère. Ici, on nourrit les familles en deuil. C'est notre façon à nous d'exprimer nos condoléances.

L'eau à la bouche, je soulève le film plastique d'une assiette de sablés et m'empare d'un biscuit. Le temps que ma mère me réprimande d'une tape sur la main, je l'ai déjà englouti.

— Tout ça, c'est pour le pasteur ?

— En effet.

— Et j'imagine que c'est à moi que revient la corvée de les lui apporter, dis-je en soupirant.

— Tu auras de la compagnie.

— Ah oui ? Et qui donc ?

— Moi, évidemment, et puis Elizabeth sera de la partie aussi avec…

Je lève la main.

— Laisse-moi deviner, Agnes. Elles sont comme les deux doigts de la main.

Ma mère émet un petit rire.

— Pas exactement. Quelqu'un d'un peu plus proche qu'Agnes.

Je fronce les sourcils.

— Petunia, révèle-t-elle.

— Sa chèvre ? répété-je, ahurie, comme s'il pouvait s'agir de quelqu'un d'autre. On ne peut pas emmener avec nous une chèvre chez le pasteur.

— Mais si, Elizabeth dit qu'elle pourra servir de distraction quand que tu fouilleras la chambre d'Eleanor.

Visiblement, elles ont déjà pensé à tout. Plus les jours passent et plus leur implication dans cette affaire laisse à désirer. Comment leur faire comprendre qu'il s'agit d'une véritable enquête criminelle et non d'un puzzle géant à résoudre ?

— Comment sais-tu qu'il nous laissera entrer avec Petunia ?

Désemparée par mon observation, elle cligne des yeux.

— Je ne sais pas… Mais j'imagine qu'il faut garder espoir, finit-elle par répondre avant de glaner un premier plat. Allez, aide-moi à charger. Elizabeth devrait arriver d'une minute à l'autre.

Moins de dix minutes plus tard, nous prenons la route, le coffre rempli de mets alléchants et la banquette arrière occupée par Elizabeth et Petunia, qui en profite pour me mâchouiller les cheveux.

— Arrête, pesté-je en lui donnant une petite tape sur le crâne.

— Elle t'adore, Dove. C'est sa manière à elle de témoigner son amour, pouffe sa maîtresse.

Excédée, je passe une main derrière ma nuque.

— Dis-lui que je préfère les fleurs.

— J'ai informé les filles de la scène à laquelle tu as assisté à l'épicerie. Il faut qu'on ajoute Lester sur la liste des suspects, embraye ma mère avant de s'adresser à Elizabeth. Bertha ne nous avait-elle pas dit qu'il avait déménagé en Arkansas après le Mississippi ?

— C'est vrai, confirme son amie.

— Dans ce cas, pourquoi ne pas le surnommer : Arkansas Traveler ?

— Bonne idée. J'ai réalisé ce bloc pour ma nièce quand elle a commencé l'université. Il rend très bien, d'ailleurs.

Une fois devant la maison du pasteur, je me gare puis sors rapidement du véhicule pour décharger le coffre, quand Elizabeth apparaît derrière moi.

— Bon, dès que tu en as l'occasion, monte dans la chambre d'Eleanor et regarde si tu peux trouver un indice ou un détail, qui peut nous aider à identifier son assassin.

Sans me laisser le temps de répliquer, elle attrape une boîte de cookies puis tire Petunia par sa laisse jusqu'à la porte d'entrée.

— Je doute que ce soit aussi simple, marmonné-je dans un soupir.

— Et vérifie bien dans son tiroir à sous-vêtements, renchérit ma mère en emportant un gratin de patates douces.

Je secoue la tête et les rejoins jusqu'à l'immense manoir en briques jaunes qui s'élève sur trois étages. De part et d'autre de la porte d'entrée, telles de vaillantes sentinelles, deux conifères en jardinière semblent monter la garde. D'inspiration victorienne, la plus vaste demeure de Harland Creek abrite les Simmons depuis des générations. Une propriété cossue acquise notamment grâce aux activités pétrolières de l'un de leurs ancêtres. Depuis, tous les hommes de la famille ont poursuivi une carrière dans le droit, à l'exception du pasteur John.

Elizabeth presse la sonnette. Une surprenante, mais agréable mélodie résonne de l'autre côté des murs.

Quelques secondes plus tard, la porte s'ouvre à la volée sur l'occupant de la bâtisse, la surprise soulignant ses traits fatigués.

— Mesdames ? Je n'attendais pas de visite.

Ma mère lui tapote le bras avec bienveillance avant de pénétrer chez lui.

— C'est parce qu'on ne vous a pas prévenu. On vous apporte de bons petits plats. Je sais combien il est difficile de rester seul dans ces moments-là, surtout sans personne pour cuisiner.

— Tu parles, Eleanor ne s'en occupait jamais, grommelle Elizabeth, en s'engouffrant à son tour dans l'entrée.

Ma mère la fusille du regard.

Surpris par ma présence, le pasteur me lance un regard interrogateur. En guise d'excuse, je lève le plat que je tiens entre les mains.

— Où se trouve la cuisine ?

— Au fond du couloir, m'indique-t-il au prix d'un sourire forcé après m'avoir laissée entrer.

J'ouvre la marche et nous mène jusqu'à la cuisine, Petunia sur mes talons. À peine arrivée sur le pas de la porte, je m'immobilise, ébahie par la splendeur des lieux. Malgré la vétusté du manoir, la cuisine a manifestement subi quelques rénovations ; plans de travail en quartz blanc immaculé, placards fraîchement repeints et poignées assorties. Autour de l'îlot central sont disposés plusieurs tabourets luxueux, naturellement éclairés par un puits de lumière au plafond.

— C'est magnifique, murmuré-je.

— Oui, Eleanor l'avait fait rénover il y a peu.

— Elle avait tout conçu elle-même ?

— Oh non, avec l'aide d'une décoratrice d'intérieur.

Il jette alors un coup d'œil anxieux vers Petunia.

— Ne serait-elle pas mieux dehors ? Dans la cour, peut-être ?

— Oh, inutile. Elle sait se tenir à l'intérieur, le rassure Elizabeth en caressant la tête de l'animal.

— Je vois.

Contrairement à Petunia qui prend ses aises, le pasteur semble, quant à lui, de plus en plus embarrassé.

— Je vais chercher le reste.

— Le reste ? s'étonne-t-il, un sourcil arqué.

— De quoi tenir plusieurs jours, justifie ma mère. Patientons au salon, le temps que Dove finisse de décharger.

— Euh, bien. Allons plutôt dans mon bureau dans ce cas.

Tandis que le pasteur les escorte jusqu'à une pièce voisine, je récupère le reste des plats dans la voiture et les stocke furtivement dans un réfrigérateur surdimensionné.

Comme le bureau donne sur l'entrée de la maison, le temps m'est compté avant que le pasteur ne parte à ma recherche.

Quatre à quatre, je gravis les marches de l'escalier tournant et atteins le deuxième étage. En dépit de ma démarche légère, proche de celle d'un chat, le parquet émet un craquement sonore. Pétrifiée, je retiens mon souffle quelques secondes avant de reprendre mon investigation, une fois certaine que mes pas n'ont pas alerté le propriétaire des lieux. Perdue parmi la multitude de choix, j'ouvre au hasard les premières portes qui s'offrent à moi. Après une salle de bains, un séjour, une chambre d'amis, une pièce différente des autres m'interpelle enfin. J'ose un coup d'œil plus prononcé à l'intérieur. Tout indique qu'il s'agit de la chambre d'une femme. Suspendue au-dessus d'une large cheminée, une peinture attire mon attention. Dès l'instant où j'identifie le portrait, un frisson irradie le long de ma colonne vertébrale. Habillée de noir et d'une ressemblance frappante à son modèle, Eleanor Simmons me scrute avec froideur.

Rassemblant tout mon courage, je pénètre dans la pièce avec cette étrange impression que la défunte m'observe à travers son esquisse. Préférant lui tourner le dos, j'examine les alentours.

Tapissée de papier peint toile de Jouy noir et blanc, la chambre abrite un grand lit à baldaquin près duquel se tient une table de nuit décorée d'une lampe façon Tiffany. Installés contre le mur et près de la fenêtre, un secrétaire et une commode viennent sobrement compléter l'ensemble. À l'exception du portrait, aucun détail personnel ne transparaît dans l'espace.

Piquée par la curiosité, je m'approche de la table de chevet et ouvre le petit tiroir. À l'intérieur, un recueil de poèmes. Tiens, si je m'attendais à une telle découverte... Je n'aurais jamais cru Eleanor amatrice de poésie.

Je porte ensuite mon attention sur la commode et inspecte le compartiment supérieur. Hormis quelques chemises de nuit en soie et des collants, pas l'ombre d'un élément suspect. Je passe au second tiroir. Des sous-vêtements, bigre ! La fameuse cachette évoquée par ma mère et ses amies. Retenant mon souffle, je fouille parmi le méli-mélo de dentelle. Pourvu que je n'y trouve rien... Il y a quelque chose de malsain à fureter les dessous d'une morte.

Tandis que ma main glisse sur le fond du tiroir, mes doigts effleurent soudain un minuscule objet métallique. Tendue, j'extrais avec précaution ma trouvaille.

À l'extrémité d'une fine chaîne en or, un pendentif tournoie dans les airs.

La lettre M. Je sens mon estomac dégringoler de plusieurs étages.

Une seule femme à Harland Creek porte le même collier.

Maggie Rowe.

Tandis que mon cerveau turbine à plein régime, un bruit sourd m'interrompt dans mes réflexions. Pétrifiée, je scrute les environs avec appréhension. Rien ne semble anormal. Pourtant, la peur que je ressens à cet instant est plus que palpable. Tout à coup, plusieurs pas précipités résonnent dans le couloir. Le cœur battant à tout rompre, je fourre à la hâte le collier dans la poche de mon jean puis cherche désespérément des yeux une cachette de fortune. Hélas, rien à l'horizon. Devant moi, la porte s'entrouvre à une lenteur effroyable.

Percluse de terreur, incapable de bouger, je demeure figée sur place.

CHAPITRE NEUF

— Petunia ?!

Sur le point de friser la crise cardiaque, je me précipite sur la petite chèvre pour empoigner sa laisse.

— Tu t'es mise dans de sales draps, ma chère.

— Que se passe-t-il ici ?

Le pasteur apparaît à son tour sur le pas de la porte. Dès qu'il m'aperçoit, le désarroi se lit dans ses yeux.

— Dove ? Que fais-tu dans la chambre d'Eleanor ?

— Désolée… J'essayais d'attraper Petunia. Je viens de la trouver ici.

Honteuse de mentir à un homme d'Église, je lance un regard courroucé à mon alibi et enfonce le clou.

— Vilaine Petunia, pas bien ! Tu peux oublier ton goûter ce soir.

Elle me répond par un bêlement.

— Comment est-elle entrée ? La porte était fermée.

Je hausse les épaules.

— J'en suis toujours la première étonnée. Petunia a la fâcheuse tendance à s'infiltrer partout. Pour une chèvre, elle est très maligne, dis-je en me forçant à rire.

— Petunia ? appelle Elizabeth de l'étage inférieur.

— Allez, viens.

Je tire la laisse de l'animal et l'entraîne sur le palier pour lui répondre.

— Elle est là-haut, Elizabeth.

— Là-haut ? Quelle coquine ! Je tourne la tête une seconde et voilà qu'elle disparaît. On a vérifié en premier dans la cuisine, je sais combien elle raffole des gâteaux.

— J'arrive.

Alors que je m'apprête à poser un pied sur la première marche, le pasteur m'attrape avec fermeté par le bras.

— Dove, je sais que tu essaies de m'aider. Mais, s'il te plaît, ne le fais plus, m'implore-t-il en resserrant sa prise.

— Je ne vois pas de quoi vous parlez, dis-je en tentant en vain de me libérer.

— Ce ne sont pas tes affaires. Alors, laisse tomber. Eleanor est partie et personne ne pourra la ramener. Plutôt que de fureter dans ma vie, tu ferais mieux de t'occuper de la tienne.

— Je ne furète pas, riposté-je le menton levé, vexée par la part de véracité dans ses propos. Je tentais de faire descendre Petunia. Et puis, j'ai une vie, figurez-vous.

Après un dernier regard empreint d'avertissements, il me laisse enfin partir.

Consternée, je retourne au rez-de-chaussée en compagnie de la petite chèvre qui se laisse à plusieurs reprises, distraire par le motif floral du papier peint.

— Ahh, ma jolie ! se réjouit Elizabeth en enlaçant son animal de compagnie.

Je guette une attention similaire de la part de ma mère, mais elle semble occupée à attendre le retour du pasteur.

— Toutes mes excuses, Mesdames, mais je ne vais pas pouvoir vous raccompagner. Je dois encore régler certaines choses dans mon bureau, nous informe notre hôte par-dessus la balustrade.

Après un sourire poli, il tourne les talons et se retire. Perplexes, ma mère et Elizabeth échangent un regard incrédule avant de se tourner vers moi.

— Allons-y, dis-je en prenant la direction de la sortie.

De retour à l'extérieur, elles s'empressent de me rejoindre.

— Depuis qu'on se connaît, le pasteur m'a toujours raccompagnée jusqu'à ma voiture.

— Moi aussi, accorde ma mère. Ça ne lui ressemble pas. Dove, tu as trouvé quelque chose là-haut ?

— Montez, dis-je en déverrouillant le véhicule et en leur ouvrant les portières.

— Tu as réussi ? J'en étais sûre ! jubile Elizabeth.

Elle laisse grimper Petunia sur la banquette puis se glisse à ses côtés. Ma mère prend place côté passager, et moi, je file m'installer derrière le volant avant de démarrer en trombe.

— Alors ?!

— Vous n'allez pas être contentes.

— Dove, arrête de tourner autour du pot. Dis-nous.

— Très bien.

Je plonge la main dans ma poche et leur présente la chaîne.

— J'ai trouvé ce bijou. Un collier qui appartient à Maggie.

CHAPITRE ONZE

— Je vais lui parler.

— Tu es certaine qu'Elizabeth ne l'a pas déjà contactée ?

Par-dessus la table du petit-déjeuner, ma mère me lance un regard anxieux.

— Non, Elizabeth m'a promis qu'elle ne dirait rien à Maggie tant que je ne lui en aurais pas parlé. Et puis, j'aimerais voir sa réaction face au collier.

Elle pose une main sur mon bras.

— Dove, tu ne penses tout de même pas que Maggie a un rapport avec la mort d'Eleanor ?

— Je suis presque certaine qu'elle est innocente.

— Presque sous-entend que tu as encore des doutes, Dove. Je connais Maggie depuis des lustres ; on a fait nos études ensemble. Elle n'aurait pas pu faire une chose pareille.

— Je pensais la même chose de Patricia. Pourtant, elle a abattu Gertrude de sang-froid, dis-je, les bras croisés, en m'adossant contre ma chaise.

— C'est vrai, soupire-t-elle avant d'attraper son sac à main. Bon, je ferais mieux d'y aller. J'ai un bloc Grandmother's Flower Garden à terminer. À plus tard, ma chérie.

Dès son départ, je m'active et rassemble mes affaires avant d'enfiler mes baskets pour prendre la route.

Alors que ma fidèle Ford Taurus progresse dans les rues d'Harland Creek, les maisons défilent les unes après les autres sous mes yeux, me rappelant combien, enfant, cette ville m'impressionnait par son immensité. Aujourd'hui, je la trouve minuscule. Et c'est certainement sa taille qui m'avait poussée à déménager pour trouver ma place dans ce monde.

Beau travail, Dove. Et où ce rêve t'a-t-il menée ? Au bercail, sans plan de carrière ni projet de vie.

Plus j'y pense, plus ce constat me donne le cafard.

Désabusée par mes états d'âme, je me laisse attendrir par la seule chose capable de momentanément rebooster mon égo, et bifurque sur le parking d'une nouvelle boutique de donuts en ville.

À mon entrée dans le petit commerce, une cloche carillonne au-dessus de ma tête. Occupée à régler sa commande d'une douzaine de pâtisseries, une silhouette familière habillée d'une salopette se tourne vers moi, l'air surpris.

— Tiens, bonjour, Dove, me salue Joe Smith, le fermier fraîchement baptisé.

Il soulève son chapeau et l'incline en guise de révérence.

— Bonjour, Joe. J'ai été prise d'une soudaine envie de donuts pour… égayer ma journée, dis-je avec en soupirant exagérément, les yeux rivés sur la pléiade de donuts.

Il se met à rire.

— Depuis « l'incident », je craque tous les matins pour un café et plusieurs de leurs donuts, avoue-t-il en secouant la tête. Comme je dors peu la nuit, il me faut une bonne dose de caféine.

— Tout va bien ? demandé-je, les sourcils froncés.

Le fermier balaye la pièce d'un coup d'œil nerveux, puis s'approche de moi.

— Et si c'était moi qu'on avait retrouvé noyé dans le baptistère ? chuchote-t-il avec gravité. Et si je m'étais pointé à l'église et que l'assassin m'avait tué ?

Sa confession me serre le cœur.

— Oh, Joe, je ne pense pas. Je veux dire, on ne connaît toujours pas la cause officielle. Peut-être qu'elle a trébuché, et dans sa chute, elle s'est cognée. Il est trop tôt pour tirer des conclusions hâtives.

Il se redresse, se passe un coup de langue sur les lèvres.

— On ne sait jamais, Dove, reprend Joe après un énième regard méfiant derrière lui. Ici, les gens tombent comme des mouches. Alors, si vous tenez à votre vie, gardez les yeux ouverts et restez vigilante.

Sur ces mots, il s'engouffre par la porte de sortie, me laissant méditer sur la question.

Et, à vrai dire, mes pensées fusent de toutes parts.

Une fois récompensée de ma commande, j'entame un premier donut et décide de marcher jusqu'à l'institut puisqu'il ne se situe qu'à une centaine de mètres seulement.

Dehors, le temps est radieux. Les feuilles des arbres dévoilent un sublime camaïeu de tons orangés contrastant avec le ciel bleu azur dénué de nuage. À mon plus grand bonheur, l'automne se prépare. Citrouilles, feux de camp et couettes duveteuses rythment cette saison aussi réconfortante que mélancolique.

Il y a quelques années, au collège, Dean m'avait demandé de sortir avec lui à la même époque. Ce jour-là, il venait de terminer son match de football. Dans les tribunes, le froid s'était montré si rude que les supporters s'étaient emmitouflés dans des plaids. Un souvenir gravé qui refait souvent surface et me rappelle sans cesse mon amour de jeunesse. À New York, dès que les premières feuilles rousses tombaient, *il* occupait toutes mes pensées.

Nostalgique, je chasse ce souvenir de mon esprit et me concentre plutôt sur la fin de mon deuxième donut avant d'en jeter le sachet dans une poubelle.

Parvenue devant S & M, l'institut de Maggie et Sylvia, je peine à retenir un petit sourire en coin. Avec un acronyme pareil, difficile de ne pas penser à un autre univers. Je pénètre dans la boutique saturée par l'odeur chimique du produit pour permanente, et repère aussitôt les deux gérantes. Tandis que l'une s'affaire à poser des bigoudis sur Mme Wither, l'autre, hilare, arrange la mise en plis de Mme Hollingworth. Assise sous des casques chauffants, une ribambelle de clientes s'occupe avec de la lecture en attendant leur tour.

— Ça alors, Dove ! Tu viens te faire coiffer ? m'accueille Sylvia avec un grand sourire.

— Pas aujourd'hui, non. Je passais voir Maggie.

— Dis donc, je n'ai jamais vu l'institut aussi rempli, dis-je en scrutant le salon, impressionnée par l'affluence.

— On a beaucoup plus de clients depuis qu'Eleanor n'est plus là, confesse Sylvia à voix basse.

— Vraiment ? Comment ça se fait ?

— Elle menaçait certaines clientes de ne plus soutenir leur association si elles mettaient un pied dans notre salon.

Elle lance un bref regard par-dessus son épaule en direction de la cliente devant Maggie avant de poursuivre.

— Hélas, Mme Hollingsworth dépendait de son aide financière. Son mari souffre d'un cancer, et le traitement leur coûte une fortune. Apparemment, Eleanor lui disait que si elle se faisait coiffer chez nous, son soutien prendrait fin.

Horrifiée, j'écarquille les yeux.

— Mais c'est terrible. Pourquoi Eleanor ferait-elle une chose pareille ?

— Parce que c'est ainsi qu'elle contrôle les gens. Elle les menace financièrement, se désole Sylvia avant de sonder une nouvelle fois derrière elle. Maggie vient de finir, si tu veux lui parler.

— Merci, Sylvia, dis-je, une main sur son épaule.

Je me dirige vers son associée qui me couve d'un large sourire.

— Dove, quelle charmante surprise ! Si tu veux un rendez-vous, reviens plutôt demain. On est complet aujourd'hui.

— Je souhaitais te parler, Maggie, pas me faire coiffer. Est-ce qu'on peut discuter ailleurs, en privé ?

— Allons derrière. Je viens de lancer une cafetière en salle de pause.

J'opine et la suis jusqu'à ladite pièce. Petite, mais cosy, aménagée dans un coin d'une table et de deux chaises façon pub, la salle possède son propre espace kitchenette, équipé d'un évier et d'un grand placard duquel Maggie extrait deux mugs roses. Elle y verse le breuvage encore chaud puis me tend une tasse avant de poser sur la table un petit pot rempli de crème et un autre de sucre.

— Merci, dis-je en ajoutant une petite quantité de chacun.

Je prends place à la petite table. Elle en fait de même.

— Alors, quoi de neuf, Dove ? commence-t-elle après une longue gorgée. Tu as plus d'informations sur l'affaire ? Ta mère a évoqué une altercation entre Lester et le pasteur à l'épicerie. Elle m'a dit que tu avais tout vu.

— Oui, une scène assez perturbante. Manifestement, Eleanor lui devait des réparations sur sa caravane, et comme elle n'est plus là, Lester estime que c'est au pasteur d'honorer sa promesse.

— Ça se comprend, convient Maggie en plissant les yeux. Eleanor a menacé tellement d'habitants. Si tu veux mon avis, elle a eu ce qu'elle méritait.

Mes entrailles se contractent. Depuis toute petite, Maggie partage ma vie. Enfant, elle fut ma première enseignante à me donner les cours du dimanche. Au collège, c'est à elle que j'ai dû ma première et unique permanente. Et, à l'obtention de mon diplôme de fin d'études secondaires, elle m'avait généreusement offert un bracelet en argent.

— Maggie, est-ce que tu avais des raisons d'en vouloir à Eleanor ? lâché-je sans détour.

— Évidemment ! s'indigne-t-elle sans cacher son étonnement. Elle nous harcelait avec Sylvia pour acheter notre local, alors que je lui avais déjà dit non.

— D'où la claque ? dis-je en repensant à la vidéo de surveillance.

Stupéfaite, elle dépose brutalement sa tasse sur la table et se redresse lentement.

— Écoute, Dove, j'ignore où tu veux en venir, mais je n'ai *pas* tué Eleanor. D'autant que si je comptais l'éliminer, je me serais servi de mes mains, rétorque-t-elle en brandissant ses ongles parfaitement manucurés.

— Je vais être très franche, dis-je en posant mon mug. En effet, je ne pense pas que tu sois celle qui l'ait tuée. Je te connais depuis des années.

Je marque une pause avant d'aller plus loin.

— Écoute, Maggie, je dois te confier quelque chose… Je suis allée dans la chambre d'Eleanor.

Ses yeux s'arrondissent comme deux grosses billes. Elle se penche vers moi.

— Et tu as trouvé quelque chose ?

— Oui.

Je tire le collier dissimulé dans la poche de mon jean et le lui tends.

— C'est à toi ?

Hébétée, elle papillonne des yeux avant de s'en saisir.

— Où l'as-tu trouvé ? s'écrit-elle en l'examinant.

— Dans sa chambre.

Son regard s'agrandit de plus belle.

— Cette vieille peau, elle me l'a piqué, c'est évident.

— Pourquoi te l'aurait-elle volé ? Je veux dire, Eleanor ne manquait de rien, elle roulait sur l'or.

— Parce qu'elle savait combien ce collier comptait pour moi. Eleanor était ce genre de femme : elle prenait un malin plaisir à s'approprier ce qui avait de la valeur pour les autres.

Indéniablement, notre conversation prend une tout autre tournure que celle que j'avais envisagée. Elle fait crisser sa chaise sur le sol et se lève.

— Maintenant, si tu veux bien m'excuser, une cliente m'attend.

— Maggie…

Elle me fait taire d'un geste de la main.

— Je ne parlerai plus d'Eleanor Simmons aujourd'hui. J'ai

eu ma dose, conclut-elle d'une voix tranchante avant de prendre la porte.

Déroutée, je verse le reste de mon café dans l'évier et sors par la porte arrière, peu encline à affronter le regard pesant de Maggie.

Si je doutais de son implication dans l'affaire, à présent, l'incertitude n'est plus permise.

CHAPITRE DIX

Reléguant dans un coin de ma tête cette mésaventure, je profite de ma pause déjeuner pour esquisser sur mon carnet à dessins un nouveau modèle de tailleur. Il y a quelques jours, une bonne nouvelle m'attendait dans ma boîte de réception : le message d'un fabricant, intéressé par mon portfolio. Un signe de l'univers pour m'inciter à reprendre d'une nouvelle manière ma passion ? Qui sait !

Suite à ma réponse positive, une date butoir m'a été proposée dans la foulée et depuis, je bûche sur différentes planches d'inspiration.

À l'époque où mon entreprise prospérait, je m'appliquais toujours à concevoir moi-même les vêtements de ma marque pour enfants. J'aimais autant travailler sur des patrons de taille réduite que donner libre cours à ma créativité avec différents styles et tissus. Toutefois, ma dernière création — la jolie robe bleue assortie à mes yeux — m'a convaincue de retenter l'expérience.

Tout en sirotant mon café, une fois mon ébauche couchée sur le papier, je choisis parmi mes crayons de couleur plusieurs teintes et m'attelle au coloriage.

— Waouh, c'est ravissant, Dove.

— Merci, dis-je à ma mère, penchée par-dessus mon épaule, j'ai hâte qu'elle prenne vie, mais je ne suis pas emballée par les tissus que l'on a en boutique. J'irai peut-être faire un tour à Jackson ce week-end.

— Ou tu pourrais passer chez Stacey ? Peut-être que tu trouveras ton bonheur dans son stock.

— Stacey Landers ? Celle qui tient La Boutique de Bettie ? demandé-je, le crayon en suspens au-dessus du revers de la veste. Je pensais qu'elle ne vendait que des vêtements. J'ignorais qu'elle proposait des tissus.

— Son fournisseur s'est emmêlé les pinceaux. À la place de son habituel stock de vêtements, elle a reçu une cargaison de tissus. Elle m'a demandé si je voulais venir lui acheter des rouleaux, mais je n'ai pas encore eu le temps.

— Maintenant que tu en parles, je suis curieuse.

Je vérifie l'heure affichée sur le micro-ondes de la cuisine.

— Vas-y. Pour le moment, c'est calme. Et le quilt de ce client peut attendre, me rassure ma mère en me pressant affectueusement l'épaule.

— Tu es sûre ?

— Absolument. Profites-en. Ne te presse pas.

Nul besoin de me le dire deux fois. Je regagne rapidement la salle de couture pour attraper mon sac à main. Alors que je rejoins le parking, une constellation d'idées scintille dans mon esprit.

Quelques minutes plus tard, avec en tête cinq choix de modèles de robe de soirée, j'entre dans la boutique et cherche des yeux la propriétaire.

— Salut, Dove ! lance-t-elle après plusieurs secondes. Je suis à toi dans une seconde.

— Prends ton temps, dis-je en souriant.

Je sillonne la boutique, trouve quelques belles pièces, mais m'aperçois rapidement qu'elle ne propose pas les tissus que j'avais en tête.

— Alors, Dove, que puis-je faire pour toi ? On vient de recevoir des pulls hyper mignons pour la nouvelle saison.

— Je regarderai, mais je ne suis pas venue pour ça. Ma mère m'a dit que tu avais reçu par erreur un stock de tissus. Je peux y jeter un œil ?

— Bien sûr.

Elle tourne les talons et me guide jusqu'au fond de la boutique.

— Je n'en reviens pas d'avoir reçu tous ces rouleaux à la place de mes nouvelles blouses, déplore-t-elle en ouvrant la porte de la réserve. Ça me coûterait une fortune de les renvoyer, d'où ma proposition à ta maman.

À l'intérieur, une dizaine de portants à vêtements sans étiquettes et une montagne de cartons ouverts recelant de tissus ont envahi l'espace réduit.

— Impressionnant, dis-je en me penchant sur un premier contenant.

D'emblée, je remarque au moins quatre rouleaux de tissu différent ; certains parfaits pour des robes du soir, d'autres plus adaptés pour des tenues décontractées.

La voix d'une cliente se fait alors entendre dans l'entrée. Stacey pousse un soupir.

— Prends tout le temps qu'il te faut, Dove. Choisis-en autant que tu le souhaites. Je ne te demanderai que dix dollars par rouleau.

— Dix dollars seulement ?

— Comme c'est une erreur du fabricant, ils vont me renvoyer sans frais ma commande la semaine prochaine, m'explique-t-elle avant de lancer un regard vers l'entrée. J'ai une autre personne intéressée, alors prends tout ce qui te plaît avant qu'elle arrive. Elle est décoratrice d'intérieur. Bon, je te laisse.

Elle m'adresse un sourire et part accueillir la nouvelle arrivante.

La chance me sourirait-elle enfin ? Aux anges, je me mets à genoux, sors mon carnet de mon sac à main et le dépose par terre à côté de l'amoncellement de cartons. Au fur et à mesure que j'extrais chaque rouleau, je le compare à mes croquis puis empile un à un les tissus à mon goût.

— Oh, je ne vous avais pas vue !

Interloquée, je jette un œil par-dessus mon épaule. Une dame blonde d'une cinquantaine d'années, les cheveux courts, d'imposantes lunettes sur le nez, se tient sur le pas de la porte. Mon regard converge aussitôt sur sa silhouette menue soulignée par son tailleur et son sac à main siglés Prada et la profusion de bijoux étincelants qui orne son poignet et son cou.

— Stacey m'a proposé de passer voir les rouleaux de tissus qu'elle avait reçus par erreur, déclare-t-elle en réponse à mon air étonné.

— Oh, oui. Vous devez être la décoratrice d'intérieur. Je suis Dove Agnew, dis-je en me relevant.

Je lui tends une main qu'elle serre d'une poigne vigoureuse.

— Bonjour, Victoria Felts, se présente-t-elle avant de lorgner, un sourcil arqué, sur les cartons. Alors, vous avez déjà mis la main sur les meilleurs tissus.

Je ris.

— J'ai commencé à mettre de côté une pile, dis-je en désignant un tas de rouleaux. Mais il y en a encore beaucoup.

— Je cherche du tissu pour l'un de mes clients qui veut assortir ses coussins aux fauteuils de sa chambre à coucher.

— Ah, de quelle couleur idéalement ?

— Bleu clair ou argenté, marmonne la décoratrice en fouillant parmi les revêtements.

Elle extirpe un rouleau de tissu bleu satiné, fronce les sourcils, puis le remet dans le carton.

— Vous avez un élégant tissu argenté au fond de celui-ci, dis-je en ouvrant un autre carton. Il est trop épais pour moi, mais peut-être qu'il conviendra.

Je lui tends le rouleau en question, son regard s'illumine.

— Ah, intéressant, en effet.

Elle le prend, fait glisser l'étoffe entre ses doigts.

— Vous êtes nouvelle à Harland Creek ? La seule décoratrice d'intérieur du coin que je connaisse, c'est Allison Jackson, dis-je en poursuivant mes recherches.

— Je ne la connais pas. Je ne suis pas d'ici, je vis à Jackson. Il y a quelques mois, on m'a contactée pour rénover une cuisine, depuis, d'autres projets ont suivi.

Prise de court, j'interromps mon geste.

— Une rénovation de cuisine ? Chez les Simmons ?

Elle me dévisage une seconde puis lève les yeux au ciel.

— Oui, c'est ça.

— J'ai vu leur cuisine l'autre jour, c'est très réussi. Vous avez fait un travail formidable !

— Merci. Pourtant, la propriétaire ne l'a pas entendu de cette oreille, se consterne-t-elle, la bouche crispée.

— Vous plaisantez ?

— Du tout, non, ma chère.

Sa réponse cinglante me glace le sang.

— Eleanor a tellement peu apprécié mon travail qu'elle a refusé de me payer. Évidemment, je lui ai collé un procès aux fesses, ce à quoi elle a prétexté que je ne gagnerais jamais pour la simple et bonne raison qu'elle connaît personnellement le juge qui s'en chargerait, poursuit-elle. Sauf qu'elle ignore à qui elle a affaire. Je finis toujours par reprendre ce qui m'est dû. D'une manière ou d'une autre.

Je peine à déglutir.

— Je vois… Mais j'imagine que, maintenant qu'elle n'est plus là, les choses se compliquent, non ?

La décoratrice éclate de rire, son rouleau de tissu serré contre sa poitrine.

— Ma chérie, sachez qu'il est bien plus simple de régler ses comptes avec un défunt que vous ne le pensez. Tout ce que j'attends, c'est que sa succession soit réglée au plus vite et que son frère m'envoie enfin le règlement.

Elle bat une énième fois des paupières, la tête penchée sur le côté.

— C'est drôle combien la plupart des gens ne se rendent pas compte du temps qu'il leur reste sur cette Terre, glousse-t-elle. Ils croient tous être éternels. Bon, je dois filer.

Elle récupère ses rouleaux puis sort de la réserve avec nonchalance, sans prêter attention à ma sidération.

Cette femme a beau être une inconnue, sa tirade n'est pas tombée dans l'oreille d'une sourde.

Une nouvelle suspecte vient de prendre place sur le banc des accusés.

CHAPITRE TREIZE

Le lendemain matin, après une nuit agitée, il est six heures quand je m'extirpe finalement de mes draps. Heureusement, les samedis, je ne travaille pas. Vêtue d'un T-shirt floqué d'une girafe et des mots « Good Morning », je me traîne mollement jusqu'au salon. De toute évidence, il me faut un nouveau pyjama ; à mon âge, on n'emprunte plus les habits de sa mère. Seulement, pour l'instant, mon porte-monnaie ne me le permet pas.

Tandis que la cafetière commence à ronronner, je me glisse sans bruit par la porte arrière et patiente sur l'une des chaises du patio, un plaid sur les épaules.

Pelotonnée sur mon fauteuil, j'observe, pensive, les lueurs

matinales prendre possession du quartier encore assoupi. Comment les choses dans ma vie ont-elles pu dégénérer ainsi ? Maggie a de la rancune, ma carrière nage dans le brouillard et Dean roucoule avec Samantha Vaughn.

Mon estomac se comprime de douleur. Touchée, coulée.

Poser mes valises dans une nouvelle ville, cinq États plus loin, semble tout à coup particulièrement tentant. Si seulement j'en avais les moyens...

— Dove ?

Je pousse un petit cri de surprise et bondis de ma chaise avant de faire volte-face, apeurée, les mains plaquées sur mon cœur qui menace de sortir de ma cage thoracique.

— Qu'est-ce que tu fiches là, bon sang ? Tu veux ma mort ?

— Désolé, bredouille Dean, j'ai toqué, mais quand j'ai vu la lumière sous le porche, je me suis dit que ce serait plus simple de faire le tour.

Son regard passe furtivement de mes jambes nues à mon T-shirt ridicule.

Mal à l'aise, je sens mes joues s'embraser en prenant conscience de mon accoutrement.

— Qu'est-ce que tu fabriques ici ? répété-je, un soupçon d'agacement dans la voix.

— Je voulais te poser quelques questions, répond-il du tac au tac, les bras croisés.

— Il est trop tôt pour un interrogatoire, je n'ai pas encore eu ma dose de caféine.

— Alors, allons-y.

Méfiante, je retourne à l'intérieur, Dean sur mes talons.

J'en profite pour passer dans la buanderie pour enfiler un short en jean.

— Ne t'habille pas pour moi, j'apprécie la vue, me nargue Dean, un rictus au coin des lèvres.

Je le fusille du regard.

— Tu ferais mieux de ne pas laisser Samantha Vaughn t'entendre dire de telles bêtises, dis-je en retirant un mug du placard. Tu veux une tasse ?

— Volontiers.

J'extrais un second mug, y verse le breuvage noir et contre-attaque.

— Que me vaut ta présence aussi matinale ?

En guise de réponse, il prend sa tasse et m'invite à retourner dehors. Je m'exécute et reprends place sur mon fauteuil en recouvrant cette fois mes jambes du plaid.

— Je souhaitais savoir si tu avais de nouvelles informations au sujet de l'affaire.

— Pourquoi me demander de l'aide ? C'est toi le shérif. Moi, je ne suis qu'une citoyenne qui respecte la loi.

— Parce que j'ai aperçu Agnes Jackson au square, en train d'espionner Etta avec des jumelles. Dès qu'elle s'arrêtait pour parler à quelqu'un, Agnes se cachait derrière un arbre ou un buisson. Bref, si tu pouvais demander à tes copines du club d'arrêter de jouer les Columbo.

Je manque d'exploser de rire.

— Si tu crois que je contrôle ce qu'elles font, tu me donnes bien trop mérite, Dean, raillé-je avant de reprendre mon sérieux. Attends, tu disais qu'Agnes suivait Etta ?

Il opine.

— Malin. J'ai failli oublier qu'Etta faisait partie des suspects. D'autant que c'est elle qui a révélé à Agnes la dispute entre Eleanor et son frère. D'ailleurs, je suis surprise qu'elle t'en ait parlé. J'ai toujours cru qu'Etta ferait n'importe quoi pour protéger le pasteur.

— Le protéger ? Pourquoi aurait-elle envie de le protéger ?

— On s'est mal compris. Je voulais dire qu'Etta se comporte presque comme si elle en pinçait pour lui. C'est une vieille fille qui ne s'est jamais mariée, elle s'est toujours montrée protectrice avec lui. Si elle le pensait vraiment capable d'un meurtre, alors elle ne divulguerait rien de compromettant à la police à son sujet.

— Vraiment ? Et comment le sais-tu ? questionne-t-il en étendant ses longues jambes devant lui.

— Parce que, lorsque les sentiments s'en mêlent, on peut être prêt à tout pour protéger la personne que l'on aime. Quoi qu'il en coûte.

En termes d'émotions, Dean peut parfois manquer cruellement de finesse.

— J'ai le droit de te demander plus de détails sur l'enquête ? Ou c'est interdit ?

— Inévitablement, la nouvelle se répandra comme une traînée de poudre d'ici la fin de la journée, alors je peux bien t'apprendre la cause de sa mort.

Je me redresse comme un suricate.

— Elle s'est noyée après avoir reçu un coup à l'arrière de la tête. Comme l'hématome est peu visible, on ne l'a pas immédiatement identifié.

— Donc, il s'agissait bien d'un meurtre.

Il me scrute d'un air étrange.

— Tu t'attendais à autre chose ?

Je hausse les épaules.

— Je ne sais pas. Parfois, j'ai l'impression de ne pas comprendre les gens.

— Je ne te le fais pas dire… convient Dean en soulignant sa réponse d'un regard qui en dit long.

Feignant l'ignorance, j'embraye sur un autre sujet.

— En parlant de suspects, as-tu enquêté du côté de Lester Hammond ?

— Le vétéran qui vit sur l'aire de camping-car ?

— Oui. L'autre jour, je l'ai surpris à l'épicerie en train de s'acharner sur le pasteur. Selon lui, maintenant qu'Eleanor n'est plus là, il n'y a aucune raison de ne pas tenir sa promesse, c'est-à-dire rénover l'aire qui tombe en ruine.

— Je connais Lester depuis mon enfance. Il serait incapable de s'en prendre à Eleanor, avance Dean.

— Je ne pensais pas Patricia capable d'un meurtre, et pourtant, regarde ce qui est arrivé.

Il pousse un long soupir.

— D'autres suspects peut-être ? lance-t-il d'un air narquois en se levant.

— Oui. Victoria Felts, dis-je avec gravité. Elle a travaillé comme décoratrice d'intérieur pour les Simmons. Elle a refait leur cuisine, mais Eleanor ne l'a jamais payée. Sauf que cette Victoria Felt m'a bien précisé qu'elle parvenait toujours à recouvrer son dû. Peu importe la façon dont elle devait s'y prendre.

Dean lève les yeux au ciel.

— Sérieusement, Dove ? Une décoratrice d'intérieur ? Tu ferais mieux de suggérer le type louche qui t'a bousculée à l'église.

Cette fois, je me lève complètement. Le plaid glisse, m'exposant à la fraîcheur ambiante. Par réflexe, je porte mes mains à mes épaules pour me réchauffer.

— Tu fais bien d'en parler. Des nouvelles ?

— Aucune trace. Probablement un adolescent en fugue. On pense qu'il devait dormir dans l'église quand vous avez débarqué. Il a dû avoir peur et prendre la fuite précipitamment.

— Oui, eh bien, ce *pauvre* ado en fugue m'a marquée au fer rouge, dis-je, agacée, en me remémorant la grosse ecchymose sur ma joue.

Par chance, seule une légère trace reste encore visible.

— Bon, je ferai mieux d'y aller, reprend Dean en posant sa tasse sur la table du patio.

Alors qu'il s'apprête à partir, l'envie d'évoquer Maggie me

tiraille de toutes parts. Seulement, loin de moi la volonté de l'incriminer d'une quelconque manière. En plus d'être une amie, Maggie est comme une deuxième mère pour moi.

— Dove ?

— Quoi ? répliqué-je, les sourcils froncés.

— Je n'aime pas la façon dont tu me regardes. Tu ne me cacherais pas quelque chose ?

— Tu sais quoi ? Sortir avec Samantha t'a rendu paranoïaque. Au revoir, Dean.

Je tourne les talons et regagne mon domicile. Derrière moi, la porte se referme dans un claquement rageur. Quelques secondes plus tard, le vrombissement proche d'une voiture m'indique son départ.

Au plus profond de mon être, une infime partie de moi regrette qu'il ne soit pas resté pour se disputer avec moi. Hélas, à l'instar de tout le reste, notre relation a changé. À tout jamais.

CHAPITRE ONZE

Quelques heures plus tard, je m'éveille de ma sieste au son rythmique de la pluie sur le toit. Il y a quelques années, ma mère a eu la brillante idée de faire remplacer le toit en bardeaux par de la tôle. À l'époque, j'ignorais combien ce tintement mélodieux m'apaiserait plus tard.

Après quelques minutes supplémentaires calfeutrée dans mon cocon duveteux, je décide de me lever et d'entamer cette journée. Étant à jour sur mes coutures, autant profiter de chaque seconde de ce précieux jour de congé.

Par crainte de subir une énième désillusion, j'ai préféré ne pas évoquer à ma mère la conversation téléphonique avec le fabricant de New York. En attendant, j'ai imaginé plusieurs tenues à leur présenter avant l'échéance.

Encore habillée de la même tenue que ce matin, je m'installe, armée d'un café, de mon bloc-notes, de mes crayons et de mon ordinateur portable, sur le canapé du salon pour achever le modèle débuté la veille.

Vu le goût amer que m'a laissé mon expérience désastreuse dans la mode, il m'a jusqu'à présent été impensable d'y remettre les pieds. Pourtant, aujourd'hui, la tendance semble vouloir s'inverser.

En pleine réflexion, je pose mon carnet sur la table basse et étudie les traits de mon croquis.

Si je n'ai pas voulu informer ma mère, c'est en partie à cause de ce sentiment de culpabilité d'éprouver à nouveau de la joie. Face à une enquête non élucidée et les suspicions qui gravitent autour de Maggie, se réjouir d'un éventuel regain professionnel me paraît réellement inapproprié.

Paradoxalement, quand j'ai reçu l'appel du fabricant, ce n'était pas à ma mère que j'ai eu envie de crier mon bonheur.

Mais à Dean.

Jusqu'à ce que ma raison me rappelle à l'ordre : Dean est en couple avec Samantha. Je n'ai pas le droit de faire part de ce genre de nouvelle à mon ex-petit ami. Elle mérite d'être partagée à la personne qu'on aime et qui nous le rend bien.

Et, à mes yeux, personne d'autre que ma mère ne tient cette place dans mon cœur aujourd'hui.

Peinée par cette triste réalité, je repense à l'autre jour, quand Elizabeth m'a demandé à quel moment je comptais relancer le moteur de ma vie amoureuse. Sujet que j'ai brillamment esquivé en prétextant qu'avec l'affaire en cours, il y avait d'autres priorités actuelles que celle de rencontrer quelqu'un.

Mais sa question a touché une corde sensible. Et, depuis, j'y réfléchis.

Consciente que la vie défile à vitesse grand V, ne serait-il pas le moment opportun pour laisser une chance à un nouvel homme d'entrer dans la mienne ?

Quel mal y aurait-il à cela ?

Ce n'est pas comme si je m'attendais à ce qu'on me passe la bague au doigt dans l'immédiat.

Me coupant dans mon introspection, la sonnerie tonitruante de mon portable posé sur la table basse se met alors à résonner. Tandis que je m'élance pour le saisir, ma main heurte par mégarde ma tasse de café et déverse son contenu sur mon bloc-notes ouvert.

Me maudissant intérieurement, je ramasse le calepin trempé et me rue dans la cuisine. Par chance, seule la première page est imbibée du liquide brunâtre. Je l'arrache des spirales, prends quelques feuilles d'essuie-tout et tamponne le croquis taché. Hélas, impossible de sauver mon esquisse, il me faudra recommencer.

Je me résous à laisser la page finir de sécher sur le comptoir et regagne le salon pour consulter mon téléphone.

Sur l'écran, un message de ma mère.

Intriguée, je l'ouvre et en lis le contenu.

Dean est passé chercher Maggie pour l'interroger au commissariat. Ça n'augure rien de bon, Dove.

Cette information me fait l'effet d'une masse de plomb dans l'estomac. Tant pis pour la journée farniente.

C'est décidé : ma vie personnelle patientera jusqu'à la résolution de l'enquête.

Nourrie par ce besoin de me rendre utile, je cours à l'étage pour m'habiller à la hâte et foncer voir Dean.

CHAPITRE QUINZE

Regroupées dans le salon, les femmes du club de couture me font face en ce mardi matin, jour des funérailles d'Eleanor.

— J'aimerais passer en revue la liste des suspects avant la cérémonie. Ainsi, on gardera un œil sur le moindre détail inhabituel.

Bien qu'elle ne bronche pas, le regard courroucé de Maggie parle de lui-même.

— Tout d'abord, le pasteur, alias Cathedral Windows. Soupçonné, car il est celui à qui la mort de sa sœur profiterait le plus. Il hériterait alors de la maison familiale et pourrait utiliser les fonds pour l'église.

— Oui, et comme Eleanor a cessé de financer les missionnaires, il pourrait également reprendre la main là-dessus. Je sais combien ça lui tenait à cœur, renchérit Elizabeth.

— N'oubliez pas l'assurance-vie, intervient Bertha. Il y a quelques mois, il a souscrit à un contrat d'assurance-vie pour Eleanor.

— C'est très étrange, parce qu'il allait logiquement hériter de sa sœur. Il n'avait pas besoin de prendre une assurance-vie en plus.

— Sauf s'il comptait la tuer pour ne pas avoir à patienter des années avant qu'elle meure, suppose Lorraine. Et puis si Eleanor avait la main sur tout leur patrimoine, le pasteur aurait-il réellement su à quel montant s'élève leur fortune ?

— Bien vu, Lorraine. Peut-être a-t-il souscrit à l'assurance-vie dans l'éventualité où il n'aurait rien à hériter.

— Non, je refuse de croire que notre pasteur ait assassiné sa propre sœur, objecte Agnes en se levant. Ça ne lui ressemble pas.

— Je comprends, Agnes, et je suis d'accord avec toi. Mais pour le moment, ce ne sont que des suppositions sur les différents suspects pour nous aider à avancer sur l'enquête, dis-je d'un ton qui se veut rassurant.

Elle semble convaincue et se rassoit.

— Passons à ce type mystérieux qui t'est rentré dedans, Dove. Quel surnom lui a-t-on donné déjà ? interroge Weenie en se penchant en avant, les yeux plissés pour déchiffrer le tableau.

—Jacob's Ladder.

— Ah, voilà.

Elle me sourit tandis que je désigne le nom du suspect.

- Jacob's Ladder a été aperçu dans le sanctuaire de l'église. Personne ne semble connaître son identité. Aucune piste du côté de Dean ni du pasteur, qui n'avait aucune idée qu'il se trouvait dans l'enceinte de l'église. Et depuis, il n'y est pas retourné.

— Peut-être que c'est un fantôme, hasarde Sylvia.

— Si c'était un esprit, il n'aurait pas pu faire un coup en traître à Dove, ricane Bertha.

— Ce n'était pas à proprement parler un coup en traître, plutôt un coup de coude au visage, dis-je en soupirant. Je suis quasiment certaine qu'il ne s'agissait pas d'un fantôme.

— Je ne sais pas, Dove, insiste Sylvia en écarquillant les yeux. Dans sa jeunesse, mon grand-père avait été témoin d'événements surnaturels.

— C'est parce qu'il était constamment ivre. Il passait son temps à colporter n'importe quoi.

Piquée au vif, Sylvia la fustige du regard.

— Il était entrepreneur, réplique-t-elle.

— Revenons-en à nos moutons. Ensuite, nous avons Etta, la secrétaire de l'église, alias Pattes d'Ours.

— Je parie que c'est elle, grogne Maggie.

Je la dévisage.

— Qu'est-ce qui te fait dire ça ?

— Premièrement, Eleanor savait qu'Etta n'avait d'yeux que pour son frère. Elle fulminait quand elle l'embêtait à ce sujet, mais Etta a toujours eu trop peur d'Eleanor pour oser lui tenir tête. Et puis, Etta s'occupait du remplissage du baptistère pour les baptêmes ; elle venait en général quelques heures avant chaque cérémonie. Peut-être qu'Eleanor l'attendait ce jour-là. Elle lui en a fait baver, comme à son habitude, alors Etta en a profité pour la pousser dans l'eau et la noyer. Deuzio, je pense qu'Etta a pris peur quand la police l'a interrogée. Du coup, elle a jeté le pasteur aux lions pour écarter tout soupçon à son encontre, conclut-elle avec une redoutable conviction.

— C'est une possibilité, dis-je en frissonnant. Ne jamais sous-estimer les plus discrets.

— Qui est Confederate Rose ? demande Donna. Il est nouveau, celui-ci.

— Oui. C'est la décoratrice d'intérieur d'Eleanor, Victoria Felts. Elle a rénové sa cuisine. Je l'ai rencontrée par hasard en passant à la Boutique de Bettie pour chercher des rouleaux de tiss…

— La Boutique de Bettie vend du tissu ? s'étonne Elizabeth. Depuis quand ?

— Non, Stacey a reçu un stock par erreur.

— Pourquoi ne m'a-t-elle pas appelée ? Un peu de tissu, ça peut être utile… remarque Agnes, l'air visiblement froissé.

J'aperçois ma mère s'agiter.

— Qu'est-ce qui ne va pas avec les miens ? J'ai tous les tissus dont tu pourrais avoir besoin.

Je claque dans mes mains.

— OK, OK, restons concentrées, s'il vous plaît.

— Pourquoi penses-tu que Victoria pourrait faire partie des suspects, Dove ? demande Weenie en m'observant avec attention.

— Apparemment, Eleanor n'avait pas fini de la payer. Et elle m'a explicitement avoué lui avoir fait comprendre que, si elle ne percevait pas son dû, elle le regretterait, car elle finissait toujours par obtenir ce qu'on lui doit. Et ce, quoi qu'il arrive.

— Hmmm. Je ne sais pas. Tuer quelqu'un parce qu'il a un retard de paiement ? Un peu léger comme raison, si tu veux mon avis, soupire Sylvia.

— Victoria aurait très bien pu le faire. À ce qu'il se dit, son oncle serait dans la mafia au Nevada, précise Maggie. Elle ne l'a probablement pas tuée elle-même, son oncle a dû se charger de la sale besogne.

Je fronce les sourcils.

— Comment es-tu au courant pour son oncle, Maggie ?

Elle me lance un drôle de regard.

— Ma chérie, je suis coiffeuse. Quand mes clients s'asseyent dans mon fauteuil, j'ai le droit à beaucoup plus de confidences et de potins qu'un prêtre dans son confessionnal.

Sylvia ajoute son grain de sel.

— C'est vrai, ça.

— Qui d'autre figure sur la liste ? questionne ma mère en jetant un œil à sa montre. On risque d'arriver en retard à l'enterrement si on ne conclut pas.

— Lester Hammond, alias Arkansas Traveler. Je l'ai entendu menacer le pasteur s'il n'honorait pas la promesse d'Eleanor, c'est-à-dire rénover l'aire de camping-car. Et c'est lui qui m'a appris que le pasteur avait souscrit à une police d'assurance-vie par rapport à sa sœur.

— Ce n'était un secret pour personne qu'Eleanor et lui étaient en froid depuis quelque temps maintenant. Il a donc un mobile, achève Lorraine.

Pendant une minute, un silence s'étire dans la pièce jusqu'à ce que Maggie finisse par le rompre.

— Allez-y, grommelle-t-elle, je sais parfaitement que vous avez parlé de moi et de la raison qui aurait pu me pousser à tuer cette vieille bique. Alors, finissons-en.

Redoutant cet instant, je déglutis puis m'éclaircis la gorge.

— Très bien. Maggie, tu es la prochaine…

— Alias, Wild Goose Chase, complète Weenie d'un ton claironnant.

— Maggie, tu as été vu sur une vidéo de surveillance en train de donner une gifle à Eleanor la semaine précédant sa mort. C'est bien connu, on sait tous combien elle vous harcelait, Sylvia et toi, pour racheter votre bâtiment.

— Exact. Et cette harpie comptait même augmenter le loyer de chaque locataire une fois devenue propriétaire, ajoute Maggie.

— Gifler quelqu'un ne rend pas forcément suspect, bougonne Bertha. Est-ce qu'on peut aller aux funérailles maintenant ? Je veux m'y rendre de bonne heure pour voir ce qu'il y a à se mettre sous la dent.

— Eh bien, si aucun détail supplémentaire ne lie Maggie à ce crime, alors on peut disposer, renchérit Lorraine en se levant.

Mal à l'aise, ma mère et Elizabeth se tortillent sur leur chaise. Hors de question que je révèle maintenant la présence du collier de Maggie dans la chambre d'Eleanor.

— Il y a autre chose, lâche ma mère, le menton levé, avant de se tourner vers la concernée.

Sylvia, médusée, fronce les sourcils.

— Qu-quoi ?

— Dove a trouvé le collier de Maggie dans la chambre de la victime, commente Elizabeth.

Tous les regards convergent alors vers Maggie qui ne se laisse pas démonter.

— C'est vrai. Il se trouvait dans sa chambre, répond-elle sur un air de défi. Je l'avais égaré depuis des semaines. Je pensais l'avoir perdu. Je n'avais aucune idée qu'Eleanor me l'avait pris. Ce qui veut dire qu'elle s'est infiltrée chez moi. Je n'enlève mon collier que pour dormir, et je le remets toujours avant de partir travailler.

— Donc, Eleanor est entrée chez toi et te l'a dérobé quand tu dormais, répète Weenie, tétanisée.

— Ou elle a payé quelqu'un pour le faire, supposé-je.

Le groupe pousse un cri de stupeur. Il n'existe qu'une

seule personne à Harland Creek capable d'entrer par effraction à sa guise.

— Louie.

Le silence qui s'ensuit en dit long sur l'effroi que procure cette prise de conscience.

— Il commence à se faire tard. On devrait y aller, reprend Agnes en passant son sac à son bras. Maintenant que la liste des suspects est claire dans notre esprit, restons attentives aux moindres faits et gestes sur place.

— Effectivement. Tous les suspects seront présents, déclare ma mère. Enfin tous à part Jacob's Ladder.

Alors que la petite troupe sort de la maison pour regagner une à une leur véhicule, je prends conscience que nous venons seulement de mettre le doigt sur la partie émergée de l'iceberg.

CHAPITRE DOUZE

Alors que nous arrivons avec dix bonnes minutes d'avance, le parking est presque plein à craquer. Tout le monde, sans exception, a tenu à assister aux obsèques d'Eleanor. C'est à peine croyable tant nombreux étaient ceux à la haïr. Après réflexion, je me dis que la majorité des gens présents sont venus pour adresser leurs condoléances au pasteur et non pour rendre hommage à son… adorable sœur.

Je lisse machinalement mon tailleur noir et récupère ma pochette sur la banquette.

— Tu es vraiment ravissante, Dove, me complimente ma mère. Je ne te vois pas souvent sur ton trente-et-un. C'est dommage, tu devrais le faire plus souvent.

Je lui souris avant d'éclater de rire.

— Disons que je n'en ai pas nécessairement l'occasion. Je me contente d'un jean et d'un T-shirt pour le travail.

Elle fait claquer sa langue.

— Je ne parle pas du travail, mais d'un rendez-vous galant, par exemple.

— Qui a un rendez-vous galant ? glisse Agnes en nous rejoignant.

Je vois son regard passer de sa robe verte à ma tenue sombre.

— Personne, dis-je en grognant.

— En effet, confirme ma mère. Agnes, s'il te plaît, dis à ma fille combien elle devrait prendre soin d'elle si elle veut rencontrer quelqu'un et se marier.

— Se marier, c'est surcoté, marmonne Bertha. Croyez-moi, j'en ai eu ma dose.

— Oui, enfin, ils sont tous morts, lui fait remarquer Agnes en la toisant. Peut-être qu'on devrait enquêter sur chacun de tes époux disparus.

Bertha lui lance un regard noir puis se dirige vers la porte d'entrée.

— Que s'est-il passé ? s'enquiert Elizabeth.

Agnes montre son pouce pour énumérer la suite.

— D'un, comme on a décidé que Dove aurait bientôt un rencard, on va pouvoir lui trouver des candidats potentiels tout à l'heure…

— Attends un peu !

Elle lève un deuxième doigt.

— Ensuite, sur le même sujet, il s'avère que Bertha a été mariée à plusieurs hommes. Du coup, on s'est dit qu'on devrait enquêter sur leur disparition comme elle ne les aimait pas beaucoup. Ce qui explique pourquoi elle a coupé la file et qu'elle est devant tout le monde.

— Classique, maugrée Lorraine en secouant la tête.

— C'est tout de même curieux que tous ses maris soient morts, souffle Weenie.

— Ils sont morts à cause de problèmes de santé. Bertha le savait quand elle les a rencontrés. Pourvu qu'ils aient, et un pied dans la tombe et l'autre sur une peau de banane, ajoute Maggie non sans une pointe d'ironie.

Tout le petit groupe acquiesce en silence.

Quelques minutes plus tard, la porte de la maison funéraire s'ouvre, laissant la foule pénétrer dans le bâtiment.

— Que tout le monde garde yeux et oreilles grands ouverts. Le moindre détail peut s'avérer utile pour l'affaire, chuchoté-je à l'intention du groupe.

Elles me répondent par un petit signe de la tête, puis nous nous engouffrons à l'intérieur en suivant la file qui mène jusqu'au pasteur. Une fois arrivées à sa hauteur, nous lui adressons chacune notre soutien avec une accolade amicale.

Agnes en profite pour l'informer que certaines femmes du groupe quitteront plus tôt la cérémonie pour s'assurer que le buffet servi en salle de confrérie soit prêt pour accueillir la famille et les proches de la défunte.

Tandis que Maggie s'éclipse pour discuter avec plusieurs femmes, Sylvia et Elizabeth font le tour de la pièce pour saluer des amis, le reste du groupe se sépare.

Tout en espérant qu'elles s'affairent, elles aussi, à chercher des éléments notables pour l'enquête, je passe à l'action. Sur une table, près du directeur de la maison funéraire, un bol rempli de bonbons à la menthe me fait de l'œil. Alors que je pioche une pastille et la fourre sur ma langue, une voix m'interpelle.

— Dove, tu as l'air d'aller mieux.

Je me retourne et souris à Ben, l'aide-soignant.

— Oui, je pense que, grâce à tes soins, je n'aurai pas de cicatrice.

Il se penche vers moi, examine la trace encore décelable sur ma joue puis tend la main vers mon visage.

— Laisse-moi voir.

Une vague de chaleur submerge mon corps tout entier alors que je sens la pulpe de ses doigts effleurer ma peau.

— Je crois que tu as raison. Ta peau semble bien cicatriser.

Devant son irrésistible sourire éclatant, je m'éclaircis la gorge et prends soin d'esquiver son regard.

— Hum, j'ignorais que tu étais de retour pour de bon à Harland Creek. Je pensais que tu voulais étudier à l'université de Washington.

— Effectivement, j'avais même décroché une bourse. Mais j'ai fini par la perdre à force de sortir, donc je suis revenu ici. Mes parents m'en ont sacrément voulu.

— Oh, je ne savais pas. Pourtant, au lycée, tu n'étais pas un grand fêtard.

— D'où mon besoin de me défouler à l'université, s'esclaffe-t-il. Toute cette privation de liberté pour me tenir à carreau… Bref, à mon retour à Harland Creek, je me suis retrouvé à aider mon père à son garage, ce qui m'a permis d'économiser. Le soir, j'assistais à des cours au centre universitaire pour devenir aide-soignant. L'idée, c'était de mettre suffisamment d'argent de côté pour intégrer une école de médecine. Mais, au rythme où je vais, mon projet prendra sans doute encore une éternité.

— Sacré projet, dis-je en hochant la tête. Je te vois bien devenir médecin.

Alors qu'il continue à me sourire tendrement, mon cœur se met à palpiter de façon incontrôlable.

— Il y a du monde ce soir, dis-je en balayant la salle du regard. Je ne m'attendais pas à en voir autant. Eleanor n'était pas la femme la plus…

— Appréciée ?

— J'allais dire accommodante, ajouté-je en grimaçant. Mais oui, on peut dire qu'elle n'était pas non plus très appréciée.

— Je suis surpris qu'Etta soit venue, déclare Ben en montrant d'un signe discret de la tête, la secrétaire qui se tamponne les yeux avec un mouchoir.

— Etta ? Je sais qu'elle n'aimait pas Eleanor, mais elle travaille avec le pasteur. Pourquoi ne serait-elle pas présente ?

Il se met alors à rire doucement.

— Parce qu'il y a quelques mois, elle a tenté d'empoisonner sa sœur.

Stupéfaite, j'écarquille les yeux.

— Elle a quoi ? Mais comment ?

— En versant du collyre dans son café. Selon elle, elle voulait simplement lui provoquer une diarrhée, mais ce genre de mélange ne fonctionne pas ainsi. La tension artérielle d'Eleanor s'est mise à grimper, puis à chuter brutalement. Elle s'est évanouie dans le bureau du pasteur, Etta a dû appeler les secours. J'étais d'astreinte ce jour-là.

Tandis que je digère ce flot d'informations, un millier de questions se bousculent dans mon cerveau.

— Est-ce qu'Eleanor a porté plainte ? Et que s'est-il passé pour Etta ?

— Non, pas de plainte. J'imagine qu'Eleanor voulait s'en charger elle-même. Tu la connaissais, tu sais de quoi elle était capable.

— Oh, oui.

Même un peu trop bien.

— Étonnant que le pasteur n'ait pas licencié Etta, ajouté-je.

— Il ne l'a jamais su, précise-t-il, un sourcil arqué. Eleanor nous a demandé de ne jamais rien dire.

— C'est bizarre. Je pensais qu'elle n'aurait attendu que cela, que le pasteur s'en débarrasse.

— Si Etta n'était pas là, comment Eleanor aurait-elle pu se tenir informée de ce qui se tramait au sein de l'église ? lance Ben d'un air narquois avant de prendre une pastille à la menthe.

— Ce qui se tramait ?

Décidément, je vais de surprise en surprise. Il hausse les épaules.

— Oui. Le pasteur ne faisait que répéter combien il tenait

à augmenter le budget des missionnaires. Mais je ne crois pas qu'Eleanor ait été de cet avis. Et elle avait son mot à dire sur le moindre centime dépensé.

— Plus maintenant, j'imagine.

— J'imagine aussi, murmure-t-il avant de darder ses yeux bleus sur moi. Je suis content de te revoir dans le coin, Dove. Tu comptes t'installer ici ?

— Je ne sais pas. Je suis encore en pleine réflexion.

— Pendant que tu réfléchis, on devrait sortir, toi et moi, un de ces quatre. Autour d'un dîner pour rattraper le temps perdu, déclare-t-il avec un sourire énigmatique.

Il m'en faut peu pour que mon cœur reparte dans une course effrénée et que mon visage s'embrase.

— Je ne sais pas…

Alors que je tente de trouver une réponse intelligible, Dean en profite pour faire son apparition.

— Qu'est-ce que tu ne sais pas ? interroge-t-il, nullement gêné par son interruption.

— Je proposais à Dove de dîner ensemble un soir, répond Ben.

L'air moqueur, mon ex-petit ami me scrute quelques secondes avant de répliquer.

— Dove est bien trop occupée pour sortir. En ce moment, elle se concentre uniquement sur elle-même et sur sa carrière.

Je tombe des nues. De quel droit se permet-il de penser connaître ma vie personnelle ou professionnelle ? Excédée, je me tourne vers l'aide-soignant et lui offre mon plus beau sourire.

— Ben, que dirais-tu de vendredi soir ?

— Au Loftin ?

— C'est parfait. Alors, à vendredi.

Ignorant délibérément l'air abasourdi de Dean, je tourne les talons, la tête haute, et pars retrouver ma mère.

CHAPITRE TREIZE

Après la cérémonie vient le repas participatif, une pratique courante dans le sud du pays où chacun apporte une collation ou un plat et qui demande une certaine organisation. À l'image du nombre de participants aux funérailles, la cuisine de l'église regorge de mets que nous nous empressons de disposer sur le comptoir de la grande salle.

En chemin, j'informe ma mère de l'histoire invraisemblable que Ben vient de me raconter. Curieusement, elle semble plus choquée par le fait que le collyre puisse provoquer la mort que la diarrhée.

— Fais attention, Dove, dit ma mère à voix basse. Parmi nous tous, il y aura beaucoup de femmes qui ne font pas partie de notre groupe de détectives.

— Maman, on n'est pas des détectives, dis-je, amusée.

— Oh, que si, intervient Agnes, le regard perçant, on se débrouille mieux que Columbo.

Décidément, cette femme a un don pour déchiffrer même les conversations les plus discrètes. Je me déleste de la grosse marmite au poulet que je tiens dans les mains et dévisage Agnes.

— Est-ce qu'on t'a déjà dit que tu avais un superpouvoir d'écoute ?

— C'est faux, Dove, râle Bertha en m'écartant d'un coup de coude pour pouvoir poser un plat rempli d'asperges. Elle a un appareil auditif qu'elle met au maximum pour entendre ce que les gens racontent.

Désarçonnée, je regarde Agnes. Cette dernière fixe Bertha avec désarroi.

— C'est vrai ?

— Et si ça l'était ? Je ne fais rien de mal, se défend-elle, les bras croisés sur sa poitrine.

— Pour ma part, je prends ça comme une violation de ma vie privée, ma chère, fait Lorraine en picorant une tranche de concombre.

— Surtout quand tu le mets au volume plus fort chez le médecin pour écouter le diagnostic des autres patients. Maintenant, on sait toutes que le mari de Marie Smith lui a refilé une MST.

— Comment est-ce de ma faute si son époux est un amant doublé d'un bon à rien, réplique Agnes. Elle ferait mieux de demander le divorce et de le dilapider.

— Ou juste l'aider à mourir, grogne Bertha.

Un silence pesant s'ensuit. Tous les regards se braquent sur elle, mais elle ne semble pas s'en formaliser et passe au dressage de la vaisselle en plastique. Jugeant préférable de dévier la conversation, je me tourne vers Agnes.

— Tu tiens une piste ? Ton superpouvoir peut nous être utile.

Un grand sourire illumine son visage. Elle sonde des yeux la salle puis nous fait signer de nous rapprocher.

— Ne dites rien, mais quand je suis passée aux toilettes, j'ai surpris Maggie et Lester en pleine conversation dans le bureau, confie-t-elle avec une pointe d'excitation dans la voix. Ils se tenaient particulièrement près l'un de l'autre et faisaient des messes basses.

— As-tu entendu leur conversation ?

— Non. Dès que Maggie m'a vue passer, elle lui a fait signe de la boucler. Je suis restée plus longtemps dans la salle d'eau pour tenter de percevoir quelque chose, mais je n'ai rien entendu. À mon retour, ils n'étaient plus là.

— Maggie connaît tout le monde. Peut-être qu'ils parlaient simplement de l'affaire, comme tout le monde.

— Je ne crois pas, Dove, objecte Agnes en revérifiant les alentours. Maggie et Lester ne se sont jamais supportés. Leur dispute remonte à quelques années. À l'époque, le mari de Maggie possédait un garage en ville, Lester y travaillait. À sa mort, il a voulu le racheter à Maggie à un prix inférieur à celui qu'elle demandait. Sauf qu'elle ne pouvait pas se permettre de baisser le prix. Alors, ils se sont embrouillés. Et lorsque le garage a trouvé un repreneur, Lester a démissionné. D'où son installation sur l'aire de camping-car. Ça lui revient moins cher. Et, pour autant que je sache, jusqu'à aujourd'hui, ils ne s'étaient pas adressé la parole.

— Bizarre qu'ils aient renoué. Peut-être qu'avec la mort d'Eleanor, l'un comme l'autre a réalisé à quel point la vie est courte et souhaite faire table rase du passé.

— Ou peut-être qu'ils en savent tous les deux plus qu'ils ne le laissent paraître. À bien y réfléchir, ils sont tous les deux suspects. Peut-être qu'ils tentent de faire équipe, relève Agnes avant de froncer les sourcils en voyant arriver Bertha. Pas un mot à quiconque, et surtout pas à Bertha.

Apercevant par la fenêtre une file indienne se former à l'extérieur, j'acquiesce et retourne chercher les plats manquants.

À mon retour, près du comptoir, il y a tellement de femmes prêtant main forte que j'ai la vague impression de gêner. Autant me rendre utile d'une autre manière, comme discuter avec Maggie ou Lester. En guise d'excuse, je prétexte à ma mère m'occuper du service du thé et rejoins discrètement la salle de réception.

Alors que je navigue de table en table pour remplir chaque gobelet, mon enquête se retrouve vite compromise par des curieux qui se préoccupent, à mon plus grand désespoir, de ma situation amoureuse. À la fin de ma première tournée, je comptabilise trois propositions de rendez-vous arrangés et une demande en mariage par M. Miller, un vieil homme d'au moins quatre-vingt-dix ans.

Quand j'atteins la table du vétéran, accompagné d'un ami, me voilà prête à délier quelques langues.

— Vous n'avez pas l'air dans votre assiette, Dove. Tout va bien ? s'enquit Lester.

— Oh, j'en ai juste assez qu'on se mêle de ma vie privée, dis-je avec lassitude.

Il éclate de rire.

— On est à Harland Creek. Il vaut mieux s'y habituer.

Tandis que son ami se lève de table pour se resservir, Lester fronce les sourcils.

— Vous auriez une minute ? me demande-t-il en désignant le siège vide.

Surprise par cette occasion inouïe, je hoche la tête avec enthousiasme et prends place à ses côtés.

— Je voulais m'excuser pour la scène dont vous avez été témoin à l'épicerie, déclare-t-il à voix basse. En général, je ne suis pas autant remonté au sujet de ce toit, mais la fuite s'est agrandie, et depuis, rien n'a été fait.

— Moi aussi, je serais agacée dans votre situation. Surtout avec la baisse prochaine des températures. Vouloir avoir un toit pour l'hiver se comprend entièrement, dis-je avec empathie.

— Il est normal d'attendre du pasteur de faire ce qu'il

faut, non ? C'est tout ce que je demande. Que quelqu'un fasse quelque chose. Dieu sait qu'Eleanor n'a jamais rien fait.

À l'évocation du prénom de la défunte, son regard se durcit d'une façon indescriptible. Au même moment, quelqu'un m'appelle et je relève la tête.

— Salut, Maggie, dis-je en lui souriant.

— Que fais-tu ? Tu n'étais pas supposée faire le service des boissons ?

Elle me scrute quelques secondes, puis se tourne vers Lester.

— Et toi, Lester, arrête de l'importuner avec tes récits de guerre.

Le vétéran s'apprête à répliquer, mais finit par renoncer au dernier moment. Je me lève sans un mot, emportant avec moi le pichet pour continuer ma tournée.

Quelques mètres plus loin, tout en versant le thé dans un verre, je lorgne la table de Lester. Maggie s'y attarde puis, plutôt que de retourner en cuisine pour proposer son aide, prend la direction de la porte latérale menant à l'extérieur. Une poignée de secondes plus tard, Lester l'imite et quitte la pièce.

À peine est-il sorti que je m'approche rapidement de la fenêtre pour tenter d'en savoir plus. À travers la vitre, j'aperçois alors le vétéran qui grimpe dans la voiture de Maggie. Le véhicule démarre puis quitte le parking.

Sans perdre de temps, je retourne précipitamment à la cuisine, tout en prenant soin d'esquiver les habitants désireux de m'arranger un énième rendez-vous galant.

— Alors ? Tu as trouvé quelque chose ou tu flirtais ? ronchonne Bertha, fidèle à elle-même.

— Tu sais aussi bien que moi qu'il n'y a rien à se mettre sous la dent, riposté-je en lui lançant un regard sombre.

Je repère Agnes qui se tient près de la machine à glaçons

et m'approche discrètement d'elle en m'assurant que personne ne rôde autour.

— J'ai vu quelque chose.

— Quoi ?

Elle relève la tête et me fixe attentivement.

— Lester m'a parlé, il m'a dit qu'il était désolé pour sa dispute avec le pasteur l'autre jour. Je crois qu'il voulait me dire quelque chose quand Maggie est arrivée.

Ses yeux s'agrandissent.

— Et ?!

— Et elle a dit à Lester d'arrêter de m'embêter. Quand je me suis éloignée, elle est restée quelques secondes à sa table puis ils sont sortis l'un après l'autre par la porte latérale. Et là, ils viennent de partir ensemble.

— J'ai un mauvais pressentiment, Dove, déclare Agnes en secouant la tête.

Je lui serre l'épaule.

— Je sais. Peut-être qu'il est temps d'enquêter sans que Maggie soit au courant.

Agnes soupire puis m'observe d'un air triste.

— Je crois que tu as raison. Je crains que l'explication derrière tout ça ne soit pas celle que j'espérais.

Alors qu'elle s'excuse pour aller aux toilettes, je tente de mettre de l'ordre dans mes pensées. Tôt ou tard, la vérité va finir par éclater et risque de changer, à tout jamais, le sort d'Harland Creek.

CHAPITRE DIX-HUIT

— De quoi ai-je l'air ?

Je délaisse mon reflet pour consulter du regard ma mère, assise sur mon lit.

— Tu es ravissante, comme toujours, Dove, me répond-elle avec un grand sourire. C'est une nouvelle tenue ? D'où vient-elle ?

— Je l'ai fabriquée. Avec les tissus de chez Stacey, ajouté-je en riant face à son air ébahi.

— Remarquable. Je ne me rappelle pas avoir déjà vu un tel motif auparavant. Où l'as-tu trouvé ?

— Réalisé par mes soins aussi, dis-je en caressant le tissu gris clair de ma combinaison.

— C'est superbe, Dove.

— Merci, Maman.

Tandis que je rehausse ma bouche d'un rouge à lèvres carmin, ma mère se lève et m'inspecte de plus près.

— J'insiste. C'est bien mieux que ce que je vois dans la plupart des magasins. Tu dois exploiter tes créations, Dove. Elles se vendraient à merveille.

Embêtée, je me mordille la lèvre, hésitante de tout lui avouer, puis finis par craquer.

— Eh bien, je voulais attendre d'avoir davantage de dessins, mais…

— Mais quoi ? m'interrompt-elle en me dévisageant.

— Un fabricant m'a contactée, finis-je par avouer. Ils souhaiteraient que j'imagine plusieurs modèles de vêtement pour femme. Depuis, je bûche sur différentes idées. Le soir, je dessine quelques rendus et les couds par la suite. Pour l'instant, j'ai réalisé cette combinaison, une robe portefeuille rouge, et l'autre robe que je portais le jour de l'accident.

— Pourquoi n'as-tu rien dit plus tôt ? J'aurais pu te donner plus de temps libre à la mercerie.

— La couture me plaît aussi. J'en profite pour réfléchir à de nouvelles tenues comme ça, et…

— Et enquêter, ajoute-t-elle avec un clin d'œil.

J'acquiesce en riant avant de vérifier l'heure sur ma table de nuit.

— Je te laisse finir de te préparer.

Elle sort puis referme la porte derrière elle.

Quinze minutes plus tard, je suis en train d'enfiler mes talons quand la sonnette retentit. Rongée par le stress, je m'examine une dernière fois dans la glace.

— Pas besoin d'être nerveuse. C'est un simple rendez-vous. Rien d'autre. Et puis, c'est Ben, tu le connais, m'encouragé-je à voix haute.

Ragaillardie, je saisis mon sac à main et dévale l'escalier jusqu'au salon où m'attend l'aide-soignant. Lorsqu'il me découvre, un sourire lent se dessine sur son visage.

— Dove, tu es très jolie.

Ce compliment inattendu me fait l'effet d'un coup de soleil immédiat que je tente de camoufler en baissant la tête.

— Merci, balbutié-je avant de remarquer son pantalon sombre et sa chemise cintrée. Toi aussi, tu es très élégant.

Comment est-ce possible d'être encore plus séduisant qu'en uniforme ?

— On y va ?

— Allons-y.

— Au revoir, Madame Agnew.

Manifestement, le charme de Ben opère sur beaucoup de femmes, dont ma mère qui, il me semble, rougit légèrement.

Une fois en voiture, le trajet jusqu'au restaurant passe furtivement tant nous sommes happés par notre discussion. Avoir grandi dans la même ville s'avère d'une grande aide dans ce genre de situation.

Galant, Ben me tient la porte du restaurant à notre arrivée et recule même le fauteuil pour que je m'assoie. Le genre de petites attentions qui manque dans le célibat.

Après avoir passé commande, nous bavardons tout en sirotant nos cocktails.

— Alors, ce retour à Harland Creek ?

— Un peu bizarre, je dois avouer, dis-je, déstabilisée par son regard pénétrant.

— Bizarre ? Comment ça ?

— J'étais très heureuse à New York jusqu'à ma mésaventure, dis-je en triturant mon bracelet, j'imagine que tu ne sais pas ce qui m'est arrivé.

— Tu veux parler de ton associé qui t'a menti ? Celui qui a fait de la contrebande avec tes marchandises et a causé la faillite de ta marque ?

À ma grande surprise, entendre mon histoire, même présentée de la sorte, ne me met pas tant dans l'embarras.

— Oui. *Ça*.

— Ça n'a pas dû être facile. Donner sa confiance à quelqu'un pour réaliser son rêve et le voir s'effondrer sous ses yeux, concède Ben avec sincérité. Je suis désolé.

Touchée, je bats des paupières et lui souris.

— Merci, j'apprécie. Tu es le seul à l'avoir formulé ainsi.

— C'est déjà difficile de gagner la confiance de quelqu'un, alors une fois qu'on l'a perdue, il faut une éternité pour la reconstruire. En tout cas, j'espère que cette histoire ne t'empêchera pas de rebondir.

— Je pensais ne pas pouvoir, mais je commence à croire de nouveau en mes chances de faire carrière dans le stylisme, dis-je en effleurant distraitement l'étoffe de ma combinaison.

— Tu l'as faite toi-même ?

Je lève les yeux et le vois contempler ma tenue.

— Oui. Une pièce complètement authentique.

Il tend alors le bras vers moi et attrape délicatement ma main pour examiner le tissu de plus près.

— Waouh, sacré travail. Je comprends mieux ton succès. Très professionnel.

— Merci, dis-je en éclatant de rire avant qu'une présence soudaine ne me fasse taire.

— Je suis surpris de vous voir ici, déclare Dean, en compagnie de Samantha.

— Bonjour, nous salue-t-elle avec un large sourire.

Mon estomac exécute un salto spectaculaire et je m'efforce à sortir une banalité.

— Salut, Samantha. Je ne savais pas que vous dîniez ici ce soir.

Évidemment, si j'avais su, j'aurais planifié notre rendez-vous un autre soir.

— Dean, Samantha. Comment allez-vous ? demande Ben sans lâcher ma main.

— Je dois dire que je suis assez surpris de vous voir tous les deux ici.

— Ah oui ? Pourquoi ? Je pensais que tu nous avais entendus, l'autre jour, évoquer ce rendez-vous ?

Dean jette un bref regard sombre à Ben puis ses traits se détendent pour former un sourire crispé.

— Je dois t'avertir : Dove est une sacrée carriériste.

Encore ! Mais de quoi je me mêle ?

— Ben, pardonne-le, Dean ne m'a pas côtoyée depuis des années, il n'a aucune idée de ce dont il parle.

Ben me libère la main et s'adosse contre son fauteuil.

— Personnellement, je trouve ça formidable que les femmes puissent mêler carrière et vie sentimentale.

En plein dans le mille. Le visage de Dean vire au rouge. À l'instar du mien, pour une raison bien différente.

Visiblement confuse, Samantha cligne plusieurs fois des yeux en scrutant tour à tour les deux hommes.

— Dove, je peux te parler une seconde ? s'enquiert Dean entre ses dents.

— Bien sûr. Je t'écoute ? dis-je avec véhémence.

Je croise les bras et affronte son regard.

— En privé, marmonne-t-il.

— Très bien.

Je me lève, laisse ma serviette de table sur le sommet de la chaise et me tourne vers Ben.

— Je reviens. Tu peux parler à Samantha de ton projet d'intégrer une école de médecine.

À peine Dean et moi prenons la direction des toilettes qu'il m'empoigne le bras jusqu'au fond de l'établissement.

— Tu tombes bien, je voulais te parler de l'affaire, lancé-je en faisant volte-face.

Alors qu'il s'apprête à grommeler, je lève une main.

— Écoute-moi. Je viens d'apprendre qu'Etta a tenté d'empoisonner Eleanor avec du collyre pour se venger. Sauf qu'au lieu d'avoir la diarrhée, elle s'est évanouie et les secours sont arrivés. Ben était sur place au moment de l'accident.

Il me dévisage, incrédule.

— C'est une piste à creuser, tu devrais t'en servir. La dernière fois qu'on a écarté quelqu'un de plus de cinquante ans, il s'avère que c'était notre assassin.

— Dove, qu'est-ce que tu fabriques ici ? lâche Dean après avoir pris une profonde inspiration.

— À ton avis ? Je dîne en tête-à-tête avec Ben. En plus, il y a une éternité que je n'ai pas mangé une bonne pièce de viande.

— On sait, toi et moi, combien Ben n'est pas ton style, prétend-il, les mains sur ses hanches.

— Comment le sais-tu ? Moi-même, je l'ignore, dis-je en saluant d'un signe de la main Gabriella, assise quelques tables plus loin.

— Je sais à quoi tu joues, Dove.

— Vraiment ? dis-je en plissant les yeux.

— Tu veux me rendre jaloux. Parce que je suis avec Samantha.

Stupéfaite, je sens ma mâchoire s'ouvrir involontairement. Je la referme aussitôt, incapable de répliquer. Au bout de quelques secondes, je retrouve la parole.

— Dean Gray, tu es devenu fou !

Plusieurs clients se taisent alors, intrigués par les éclats de voix derrière eux.

— Dove, baisse d'un ton.

— Non. Écoute-moi bien. Tu n'as plus ton mot à dire sur ce que je fais. Et tu ne l'as d'ailleurs jamais eu. Je dîne là où j'ai envie de dîner, et rien ne m'en empêchera, et certainement pas toi.

Sans lui laisser le temps de répondre, je me retourne et regagne ma place. Samantha s'empresse de le rejoindre, alors qu'il se tient toujours debout, les poings serrés.

— Tout va bien ? s'enquiert Ben.

— Oui ! En temps normal, Dean est un homme sensé. Je ne sais pas ce qui lui a pris.

— Vraiment ? répond-il en souriant. Pour moi, c'est parfaitement clair : il est jaloux.

Je cligne des yeux et secoue la tête.

— Impossible. En réalité, c'est lui qui m'accuse d'être jalouse.

Ben hausse les épaules.

— Il veut détourner l'attention.

Et si Ben avait raison ? Est-ce la jalousie qui le pousse à agir ainsi ?

— Si c'est le cas, que fait-il avec Samantha ?

Ben s'esclaffe.

— Parce qu'il essaie de ne plus penser à toi. Avant que tu ne reviennes dans le coin, Dean sortait à peine. Il avait déjà vu, tout au plus deux fois, Samantha. Maintenant que tu es de retour, il tente de faire croire qu'il est passé à autre chose.

Je prends une gorgée de vin.

— Drôle de façon de le montrer.

Tout à coup, Ben me prend la main et y dépose un baiser.

— Dean a laissé filer sa chance. Il est temps de t'ouvrir aux autres surprises que le monde te réserve.

Impossible d'éviter cette fois son regard empreint de sous-entendus.

Pour la première fois depuis longtemps, un soupçon de romance semble se raviver en moi.

Après tout, peut-être que ma mère a raison. À mon tour de trouver l'amour.

CHAPITRE QUATORZE

Tout en fredonnant sur une chanson rythmée de Fleetwood Mac, je poursuis avec entrain la couture du quilt sur lequel je travaille en ce moment. Depuis notre rendez-vous, j'ai eu l'agréable surprise de recevoir deux appels de Ben.

Certes, je ne suis pas encore prête à m'engager dans une relation sérieuse, mais replonger dans l'univers des rencontres me remonte le moral.

Même ma mère a remarqué un changement dans mon attitude.

— Dove, tu as de la visite.

— J'arrive.

J'interromps ma machine à bras long et fais de même avec la musique.

— Salut, Dove, tu as une minute ?

Cette voix reconnaissable entre mille…

Le cœur qui bat la chamade, je me retourne. Habillé de son uniforme, Dean se tient dans l'embrasure de la porte, les mains sur son ceinturon.

Je lève un sourcil.

— Tu es venu me sauter à la gorge comme l'autre soir ? Je

pensais que tu avais plus important à faire, comme mettre la main sur le meurtrier en fuite.

Ses lèvres se muent en une ligne fine.

— Dove, je ne suis pas là pour me disputer. Je voulais te parler de ce que tu m'as révélé sur Etta.

Je m'appuie d'une hanche contre le comptoir et croise les bras.

— Et qu'as-tu trouvé ?

Il pénètre dans la pièce et referme la porte derrière lui.

— J'ai parlé au pasteur de cette histoire de collyre. Comme tu t'en doutes, il était ébranlé.

— Évidemment. Eleanor a tout de même dit à Etta qu'elle ne dirait rien à son frère tant qu'Etta ferait ce qu'Eleanor lui demande, dis-je en haussant les épaules.

— Le pasteur a confronté sa secrétaire. Résultat, elle a éclaté en sanglots et elle a quitté l'église. Du coup, je me demandais si tu l'avais vue.

— Absolument pas. Je suis restée ici toute la matinée. Tu as essayé de sonner chez elle ?

— Déjà fait, répond Dean en effleurant le quilt Dresden Plate. Il y a l'air de n'avoir personne. Je sais que, de temps en temps, elle se rend chez sa mère à Natchez. Elle doit sûrement y être.

— C'est une piste à étudier, dis-je d'un ton désinvolte.

— D'où ma venue. J'aimerais que tu ailles lui parler.

Je me redresse aussitôt.

— Moi ? J'ai d'autres choses à faire, tu sais. D'autant que ce n'est pas la porte à côté. C'est à plus de deux heures de route.

— Même trois. Il y a des travaux sur la route, précise-t-il en se passant une main dans les cheveux. Écoute, je sais que je te demande beaucoup, mais je ne peux pas quitter la ville. Pas maintenant, alors que l'affaire est loin d'être résolue. Tu me rendrais un grand service.

— Pourquoi moi ? me renfrogné-je.

— Parce que, même si je déteste l'admettre, tu m'as aidé à résoudre la dernière enquête.

Je lève le menton. Mes talents d'enquêtrice enfin reconnus à leur juste valeur.

— Alors, qu'en dis-tu ?

— Je peux demander à quelqu'un de m'accompagner ?

— Bien sûr. À vrai dire, je préférerais que tu ne fasses pas le trajet toute seule.

— Et l'essence ? Tu me rembourseras le plein ?

— Oui, garde bien le reçu.

Sur le point de quitter la pièce, il se retourne au dernier moment avant de poursuivre.

— Oh, et Dove, appelle-moi à ton retour. J'aimerais que tu me racontes votre entrevue.

Je le regarde partir sans un mot puis, dès qu'il disparaît, saisis mon smartphone et m'empresse de contacter, l'une après l'autre, les membres du club. À ma grande frustration, elles sont toutes occupées aujourd'hui. Aucune n'est disponible pour m'accompagner. Résolue à faire le voyage seule, je m'empare de mon sac à main, prête à partir, quand la voix de ma mère s'élève depuis l'accueil.

— Dove, un appel pour toi, m'indique-t-elle en apparaissant sur le pas de la porte, le téléphone à la main.

Intriguée, je prends le combiné.

— Oui, allô ?

— Dove ? Salut, c'est Samantha.

— Samantha ? répété-je en fronçant les sourcils.

— Oui, Samantha Vaughn. Dean m'a dit que tu partais à Natchez et que tu voulais de la compagnie.

— Il a… Qu-Quoi ?

Quelle pourriture ! La prochaine fois que je le vois, il entendra parler de moi.

— Oui. Il m'a dit que tu aimerais faire le trajet accompagnée, poursuit-elle. Et je dois dire que c'est très attentionné de ta part. Comme Dean et toi êtes sortis ensemble, ce n'est pas évident.

— Samantha, merci pour ta proposition, mais je sais combien tu es occupée à la pharmacie…

— Oh, je suis en congé aujourd'hui. La pharmacie est fermée à cause d'une mise à jour, s'écrit-elle de sa voix enjouée qui commence à me taper sur les nerfs.

— Je comprends.

Mal à l'aise, je tente de trouver une excuse plausible. Hélas, rien ne me vient.

— Je dois d'abord faire le plein. Je suis bientôt à sec.

— Ne t'embête pas. On prendra la mienne.

Je serre la mâchoire.

— Par-fait, articulé-je d'une voix mielleuse. Je suis à la mercerie, si tu veux passer me chercher.

— J'arrive ! s'exclame-t-elle avant de mettre fin à l'appel.

— Qui était-ce ?

Je regarde ma mère et pousse un long soupir significatif.

— Mon ennemie jurée.

Elle me fixe d'un air interrogateur.

— Je dois me rendre à Natchez, ajouté-je. Dean veut que je creuse une piste pour l'enquête. Je serai de retour tard ce soir. Ne m'attends pas.

Cinq minutes plus tard, Samantha débarque au volant d'une sublime Audi.

— Tiens, une voiture de luxe. Comme par hasard…

Déjà irritée par ce trajet qui vient à peine de commencer, je m'installe à contrecœur à côté de la petite amie de Dean.

CHAPITRE VINGT

Durant tout le trajet, Samantha ne cesse de parler de la pluie et du beau temps. À mon grand soulagement, avant d'arriver jusqu'à l'adresse de la mère d'Etta, dont Dean m'a envoyé l'itinéraire, nous nous arrêtons faire le plein.

— Je m'en charge, dis-je en l'arrêtant d'une main alors qu'elle s'apprête à sortir. Puisque tu as eu la gentillesse de conduire.

En réalité, je tiens simplement à sortir de l'habitacle pour prendre l'air.

— Oh, tu es adorable, Dove, répond-elle avec un grand sourire en me tendant sa carte de crédit.

Elle m'indique son code confidentiel, puis se penche sur son téléphone pour composer un message.

Libérée momentanément, j'inspire profondément puis étudie les différents types d'essence avant d'opter pour la plus chère. Tout en remplissant le réservoir, je jette un coup d'œil discret à Samantha qui semble complètement absorbée par son portable. Poussée par la curiosité, je plisse les yeux pour tenter de discerner le prénom de mon ex. Sans succès.

La pompe finit par se couper, je raccroche la poignée, récupère le reçu et le fourre dans ma poche avant de toquer à la vitre. Elle baisse la fenêtre et reprend sa carte de crédit.

— Je vais prendre un truc à boire. Tu veux quelque chose ?

— Un Coca Light, ce serait parfait. Merci, répond-elle avec un énième sourire allègre.

J'entre dans la station-service et avise le rayon alimentaire. Le ventre vide, je sens la faim me tirailler l'estomac. Portant mon choix sur une barre de Snickers et une canette de Dr Pepper pour moi et un Coca Light pour Samantha, je règle ensuite le tout à la caisse avant d'émettre un doute. Samantha me laissera-t-elle manger dans sa voiture ? Pas sûr. Son Audi respire la propreté. Après un coup d'œil par la vitrine, je dévore ma barre chocolatée tout en faisant défiler les nouveaux messages sur mon portable.

Un premier de ma mère qui me demande comment se passe le voyage.

Un second de Bertha qui m'assure qu'elle peut me caser avec son neveu.

Et, enfin, un dernier de Sylvia qui s'inquiète pour Maggie.

Je pianote une réponse rapide aux trois avant de fourrer le dernier morceau de Snickers dans ma bouche et de me diriger vers la voiture.

Tandis que je me glisse à l'intérieur de l'Audi et lui tends sa boisson, Samantha pose son téléphone et m'adresse un grand sourire.

— Merci.

Au même instant, s'affiche sur l'écran un message qu'elle consulte brièvement en souriant de plus belle.

Probablement Dean, transi d'amour.

Je me force à porter mon attention vers la fenêtre et bois une gorgée de mon soda.

Elle démarre, quitte le parking, et nous voilà reparties sur l'autoroute.

— Dove, je peux te poser une question ?

— Bien sûr. Tant que ce n'est rien de personnel, dis-je sur le ton de plaisanterie.

Ses yeux s'écarquillent. Je fronce les sourcils.

— Je t'écoute ?

— C'est au sujet de Dean.

Je soupire sans retenue.

— Oui ?

— Pourquoi est-ce que vous avez rompu ?

— Disons qu'on est sortis ensemble au lycée puis on a obtenu notre diplôme. J'ai eu par la suite l'opportunité d'aller à New York pour poursuivre mon rêve, mais Dean n'a pas voulu me suivre. Il voulait rester à Harland Creek, dis-je en haussant les épaules.

— Est-ce que tu regrettes d'être allée à New York ? interroge-t-elle d'une voix douce.

— Non. Je pense que je l'aurais regretté toute ma vie. Tout se passait à merveille jusqu'à ce que mon associé manigance derrière mon dos. D'où mon retour momentané à Harland Creek, le temps de remettre ma vie sur le droit chemin.

— Donc, tu n'as pas l'intention de rester ici ?

— Il n'y a pas réellement d'opportunité pour les stylistes dans une petite ville, dis-je en riant.

— Et pourquoi ne p….

La sonnerie de mon téléphone ne lui laisse pas le temps de terminer sa phrase. Je saisis mon portable et vois le prénom de l'aide-soignant sur l'écran.

— Désolée, je dois répondre.

Jusqu'à notre arrivée à Natchez, Ben et moi bavardons de choses et d'autres.

— Ben ? devine Samantha avec un air attendri.

— Oui. Il m'appelle beaucoup pour quelqu'un avec qui je n'ai eu qu'un seul rendez-vous, remarqué-je, amusée.

— Il t'apprécie beaucoup, Dove. Je le vois à sa façon de te regarder, assure-t-elle avant de soupirer avec contentement.

Je range mon téléphone dans mon sac, puis vérifie l'itinéraire.

— Sa maison est la blanche sur la gauche. Juste là, lui indiqué-je en désignant une habitation.

Une fois stationnées le long de la rue, nous sortons du véhicule. Je me tourne alors vers Samantha.

— Tu n'es pas obligée de venir. Je comptais parler à Etta moi-même.

— Oh, ça ne me dérange pas. J'aimerais beaucoup rencontrer sa maman. Etta m'en parle à chaque fois qu'elle vient à la pharmacie.

Je hausse les sourcils.

— Vraiment ?

— Oui, elle m'a dit que, pour une femme de son âge, elle est plutôt en bonne santé. Il n'y a pas longtemps, Etta est venue lui acheter des gouttes pour les yeux. Apparemment, sa maman a les yeux très secs, relate la brune d'un air bienveillant. Je comptais lui suggérer un nouveau collyre qui vient de sortir…

— Oh non. Surtout pas, dis-je en levant une main.

Elle fronce les sourcils.

— Et pourquoi ?

— Parce que la mère d'Etta est très tatillonne quand il s'agit de sa santé. Elle n'aime pas qu'on la plaigne, dis-je précipitamment.

— Tu l'as déjà rencontrée ?

— Non. Etta m'en a parlé, dis-je en passant la lanière de mon sac à mon épaule avant de gravir les quelques marches qui mènent au logement.

J'appuie sur la sonnette, et quelques secondes plus tard, une femme d'un certain âge, vêtue d'un tailleur, ouvre la porte.

— Je peux vous aider ?

— Oui, je viens voir Etta. Je m'appelle Dove Agnew. Je viens d'Harland Creek, lui expliqué-je en souriant.

— Harland Creek… Vous êtes bien loin de chez vous, s'étonne-t-elle en me rendant mon sourire.

La vieille dame s'écarte pour me laisser passer, Samantha en profite pour me devancer et lui tendre une main.

— Bonjour, Samantha Vaughn.

— Sandra Miller, se présente notre hôte en lui serrant la main avant de nous inviter à prendre la direction du salon.

De taille modeste mais ordonnée, la maison jouit d'un salon recouvert d'un parquet d'origine, de meubles anciens et d'une charmante petite cheminée.

— Asseyez-vous, je vous en prie. Je vais prévenir Etta de votre arrivée.

Elle quitte la pièce, nous laissant seules un instant.

— Il fait un peu chaud, tu ne trouves pas ? remarque Samantha, une main en éventail devant le visage.

— Elle a probablement allumé le chauffage. Toutes les personnes âgées de plus de soixante-dix ans le mettent en route dès que les températures descendent en dessous de quinze degrés.

Je jette un coup d'œil circulaire, puis me tourne vers Samantha.

— Ça va ? Tu as le visage tout rouge.

— Ça va.

La jeune femme se redresse sur son siège et pose ses mains sur ses genoux.

— Si tu le dis, marmonné-je.

Je me lève et me dirige vers la cheminée sur laquelle sont exposées plusieurs photos encadrées. Reconnaissant Etta plus jeune, accompagnée de sa mère et, en arrière-plan, du pasteur John, je souris devant le cliché qui semble provenir d'une réunion de famille.

Quelques secondes plus tard, Etta apparaît dans la pièce, l'air visiblement perplexe.

— Dove ? Samantha ? Que faites-vous ici ?

— Bonjour, Etta, dis-je en m'approchant. Peut-on s'entretenir, en privé ?

Confuse, elle cligne des yeux.

— Eh bien, oui. Allons dans la cuisine.

Elle fait demi-tour et, alors qu'elle prend la direction d'une pièce adjacente, Samantha se lève pour nous accompagner. Je secoue la tête.

— Samantha, pourquoi ne demanderais-tu pas à Mme Miller de te parler de ces jolies photos sur la cheminée ?

Son visage trahit aussitôt sa déception. À mon avis, je doute fort qu'Etta se confie en la présence de quelqu'un d'autre que moi.

Tout sourire, Mme Miller se met alors à lui présenter les personnes figurant sur chaque photo.

De mon côté, je suis Etta dans la cuisine et m'assieds à une petite table.

— La maison de ta maman est très cosy. On dirait un cottage sorti tout droit d'un conte de fées.

Etta éclate de rire.

— C'était la maison de ma tante. Ma mère y a emménagé il y a quelques années, après le décès de son père. Elle a ensuite hérité de la maison après la mort de ma tante.

Je l'observe mettre la bouilloire sur le feu, puis se tourner dans ma direction.

— Je suis surprise de te voir ici, Dove. Tout va bien ?

Mal à l'aise, je m'éclaircis la gorge.

— Je n'en suis pas certaine. Je dois te parler d'un sujet délicat pour toutes les deux.

Les lèvres pincées, la secrétaire ne dit rien et attend que l'eau se mette à chauffer. Une fois prête, elle prépare le thé puis dépose un mug en porcelaine jaune et vert devant moi avant de me rejoindre à table.

— Je t'écoute, déclare-t-elle en prenant une gorgée.

— Je suis au courant pour le collyre, Etta.

Son visage prend une violente teinte blême.

— Dean m'a demandé de venir t'en parler.

Elle se met à battre rapidement des paupières.

— Alors, toute la ville est au courant ?

— Non, non, dis-je en secouant la tête. Juste Dean et moi.

— Et la personne qui vous l'a dit à tous les deux, lâche-t-elle en plongeant le nez dans sa tasse de thé. J'imagine que c'est Ben. Il m'avait promis de ne rien répéter quand Eleanor m'a dit qu'elle ne porterait pas plainte.

En voyant ses doigts trembloter sur la table, je lui prends délicatement la main.

— J'aimerais entendre ta version de l'histoire. Tu lui as mis des gouttes dans son thé, pas vrai ?

Elle hoche lentement la tête.

— Je pensais que ces gouttes lui donneraient simplement une diarrhée carabinée. Je ne pensais qu'elles pourraient lui faire autant de mal.

— Pourquoi l'avoir fait ? demandé-je en guettant sa réaction.

Etta pousse un long soupir.

— J'imagine que j'en ai eu assez de ses brimades incessantes. Elle passait son temps à faire des commentaires sarcastiques sur le fait que j'avais le béguin pour son frère. Elle a même lancé la rumeur que je m'étais jetée à ses pieds, s'écrit-elle, le visage marqué par la colère. Tu imagines à quel point c'est embarrassant pour une femme de mon âge ? J'ai dix ans de plus que lui.

— Eleanor pouvait se montrer détestable, approuvé-je. J'ai moi-même été la cible de sa langue de vipère.

— Je n'ai pas pu me résoudre à en parler au pasteur. J'aurais eu tellement honte. Alors Eleanor m'a promis qu'elle garderait cet incident entre nous si j'acceptais de récupérer pour elle un dossier à l'église.

— Quel dossier ? dis-je, abasourdie.

Etta hausse les épaules.

— Je ne sais pas vraiment. Un document conservé dans son bureau, sous clé. Sauf qu'il en est le seul à avoir l'accès. J'ai bien tenté de crocheter la serrure, mais rien n'a fonctionné. Quoi qu'il en soit, Eleanor était sacrément remontée. Comme je n'avais pas respecté ma part du marché, elle m'a enguirlandée devant son frère.

— Et après ? Que s'est-il passé ? demandé-je en trépignant sur mon siège.

— Il m'a prié de quitter la pièce. Alors, je suis allée dans mon bureau, j'ai commencé à faire mes affaires. Je me suis dit qu'Eleanor allait lui parler du collyre et que je finirai par être renvoyée.

Elle prend une nouvelle gorgée de son thé avant de poursuivre.

— Au bout d'une dizaine de minutes, je suis retournée dans son bureau et je les ai entendus se disputer. Et c'est à ce moment-là qu'Eleanor lui a dit qu'elle cessait ses contributions.

— Et le pasteur lui a dit qu'elle le regretterait... complété-je.

La secrétaire hoche de la tête.

— Depuis la mort de sa sœur, il est rarement à son bureau. Il ne mange même plus au *diner*. Alors qu'il y déjeunait tout le temps.

Elle marque une pause, puis me regarde avec une certaine appréhension.

— Dove, tu ne comptes pas en parler aux femmes du club ?

— De notre discussion ?

— Non, des gouttes. C'est très embarrassant.

Je la rassure d'un sourire compatissant, sa main serrée dans la mienne.

— Non, Etta. Je ne leur en parlerai pas. En réalité, après tout ce que tu m'as dit, je peux, en toute confiance, te rayer de la liste des suspects.

— Oh, tant mieux, se réjouit-elle avec soulagement avant de froncer les sourcils. Attends, de quelle liste parles-tu ?

— Ma chère Etta, sache que chaque crime possède sa liste de suspects.

Devant son air ébahi, je me rassois et termine la fin de mon thé.

CHAPITRE QUINZE

Ce soir-là, il est déjà tard quand nous regagnons Harland Creek. Samantha me dépose à la mercerie, où je récupère mon véhicule. Le retour s'est déroulé sans encombre et, à ma plus grande surprise, en silence du côté de la conductrice. Peut-être qu'à force d'avoir écouté les longues histoires de Mme Miller, Samantha était à court de sujet de discussion. Je n'allais certainement pas m'en plaindre.

Le lendemain matin, j'envoie un message à Dean pour lui raconter les confessions d'Etta. Comme sa réponse tarde à venir, j'en profite pour me préparer un café.

Curieuse de savoir quel genre de document avait piqué la curiosité de sa sœur, je décide de me rendre à l'église avant l'ouverture de la boutique. Armée du kit de crochetage de serrure qu'Agnès m'avait laissé, je prends mon sac à main et grimpe dans ma voiture. Avec un peu de chance, je pourrais mettre la main sur ce fameux dossier.

Moins de dix minutes plus tard, je bifurque sur le parking vide de l'église. Pour ne pas attirer l'attention, je continue ma route jusqu'à l'arrière de l'édifice et me stationne à l'abri des regards.

Je monte rapidement les marches et tente la porte arrière de la grande salle. Comme d'habitude, elle n'est pas verrouillée. J'entre à pas feutrés et pénètre dans la pièce suffisamment éclairée par la lumière du jour.

Alors que je longe le couloir jusqu'au bureau du pasteur, le sol émet un craquement sous mes pieds. Paralysée par la peur, je sens mon corps frissonner de la tête aux pieds.

Arrivée devant la porte en question, je tente d'actionner la poignée. Par chance, elle pivote. Prenant toutes les précautions nécessaires, j'ouvre lentement la porte avant de sonder les quatre coins du bureau.

Doté du même mur lambrissé et du même parquet qu'il y a quelques années, le lieu semble avoir traversé les décennies. Derrière le bureau ordonné sur lequel reposent une Bible ainsi qu'un recueil de cantiques, une vaste bibliothèque occupe le fond de la pièce.

Je contourne le bureau et tire la chaise rangée sous la surface pour m'y asseoir avant de tenter les tiroirs un à un, jusqu'au dernier qui refuse de s'ouvrir.

Je fouille dans la poche de mon jean et en sors mon kit de crochetage. Bien que j'aie apporté le kit emprunté à Agnès lors de notre première affaire, j'avais investi dans mon propre kit. Je choisis donc d'utiliser le mien et après plusieurs essais, la serrure finit par céder. Impatiente, je tire le tiroir vers moi.

Au même instant, dans le couloir, le parquet se met à craquer. Je relève subitement la tête.

— Il y a quelqu'un ?

Aux aguets, je tends l'oreille avec attention.

Après un bref coup d'œil au dossier, puis à l'entrée, je m'empare du document conservé dans le tiroir fermé à clé et me lève sans un bruit. Si l'assassin m'attend derrière la porte, il me faut un plan.

Je balaye la pièce d'un regard circulaire avant de lorgner

la seule fenêtre du bureau : un petit vitrail vieux de plus de cinquante ans. Hélas, même si je parvenais à le briser, il me serait difficile d'y glisser mon corps tout entier.

Mon sac à main à l'épaule, j'y glisse le dossier à l'intérieur et me mets en quête d'une arme improvisée pour me défendre en cas de besoin.

Hormis une quantité de livres, de bibles et une petite lampe semblable à une volière, rien ne fait réellement l'affaire.

Je soupire et opte tout de même pour le luminaire.

J'avance alors à tâtons jusqu'à la porte avant de scruter l'extérieur. Étrangement, le couloir paraît plus sombre qu'à mon arrivée.

— Il y a quelqu'un… ?

Ma voix se brise sous le coup de l'émotion.

Soudain, un second craquement retentit. Je tourne furtivement la tête de chaque côté du couloir.

À droite, le chemin mène en salle de réunion, de l'autre, il débouche aux salles de classe accueillant les cours du dimanche pour les enfants, et à une porte qui conduit à l'extérieur.

Je choisis d'emprunter la voie de gauche, soit la plus courte.

La main resserrée autour du luminaire, je remonte rapidement le couloir avec une certaine appréhension.

Sous mes pas, le plancher se met à grincer. Et tout à coup, j'entends quelqu'un courir à toutes jambes derrière moi.

Je pousse un hurlement et détale aussi vite que possible, mais quelque chose ou quelqu'un réussit à empoigner la lanière de mon sac, me projetant en arrière. Le souffle coupé, j'atterris sur le dos et tente de reprendre mes esprits, mais une silhouette entièrement vêtue de noir et au visage masqué par une capuche se tient au-dessus de moi. Je tente alors d'ouvrir la bouche pour crier, mais une main gantée sur ma bouche et mon nez m'en empêche.

Au prix d'un effort surhumain, je me débats de toutes mes forces, griffe la main de mon agresseur et tente de lui asséner des coups de pied. Mais prise d'un soudain vertige, je sens mon champ de vision rétrécir et devenir flou.

L'inconnu penche alors la tête près de mon oreille.

— C'est mon dernier avertissement, Dove. Ne te mêle plus de cette affaire ou ton petit ami sera le prochain.

Malgré ma tentative de rester éveillée, je tombe, inconsciente, dans les ténèbres.

CHAPITRE SEIZE

Sonnée, je presse une main sur mon front.

— Tiens, Dove, bois ça.

Le pasteur John me tend un verre d'eau froide.

— Dove, j'aimerais vraiment que tu viennes te faire examiner à l'hôpital, insiste Ben, une petite lampe torche braquée dans mes pupilles.

Aveuglée, je plisse les yeux.

— Pas la peine. Je n'ai pas reçu de coup cette fois.

Je bois une gorgée et me sens aussitôt nauséeuse. La main pressée autour de mon ventre, je pousse un gémissement. Quelques mètres plus loin, j'aperçois Dean qui se dirige vers moi. Je referme les yeux. La dernière chose dont j'ai besoin, c'est d'un sermon.

— Comment va-t-elle ? s'enquit Dean auprès de Ben en me regardant d'un air inquiet. Qui l'a trouvée ?

— Moi, répond le pasteur. Je suis venu plus tôt pour allumer le chauffage. Certaines des femmes qui viennent à l'église sont âgées et se plaignaient du froid pendant les cours bibliques. J'allais me rendre à mon bureau quand j'ai vu Dove allongée par terre. J'ai appelé les secours après m'être assuré qu'elle respirait, explique-t-il avant d'extraire un mouchoir de la poche de sa robe pour s'éponger le sommet du crâne. Je ne comprends pas ce que tu faisais ici, Dove. Seule dans l'église.

— Bonne question, renchérit Dean, les yeux rivés sur moi. Mais avant toute chose, Ben. Est-ce qu'elle va bien ?

— Oui, pour autant que je sache. On a retrouvé l'étoffe qu'a utilisée son agresseur pour l'endormir. Il semblerait qu'elle soit imbibée d'éther.

— D'éther ? répète Dean.

— Oui. Je l'ai donnée à l'un des agents sur place, il l'a mise de côté.

— Qui utilise encore de l'éther de nos jours ? Ce n'est pas cet anesthésiant vieux de plusieurs siècles ? demandé-je en me frottant la tête.

— Les agriculteurs s'en servent comme insecticide. Ou on peut aussi l'utiliser pour nettoyer les vitres ou décaper le bois, je crois. Ah et on en trouve aussi en pharmacie.

— En pharmacie ?

Je hausse les sourcils et me tourne vers Dean.

— Tu devrais peut-être aller interroger Samantha.

Ben se met à rire sous cape avant de dissimuler son amusement en apercevant le regard noir de Dean.

— Bon, si tu ne veux pas aller à l'hôpital, j'aimerais que tu rentres chez toi. Je passerai te voir plus tard.

— D'accord, dis-je en lui souriant.

Après le départ de l'aide-soignant, Dean se laisse glisser par terre à côté de moi.

— Tu es sûre que ça va ?

— À part un bon mal de tête, oui.

— Tu as bien dû reconnaître ton agresseur ?

— Non. Il portait un sweat à capuche.

— Tu crois que c'est le même type qui t'a bousculée à l'église la dernière fois ?

— Peut-être... Sauf que cette fois, il m'a dit quelque chose.

Dean me dévisage avec attention.

— Qu'est-ce qu'il t'a dit ?

— De ne pas me mêler de cette affaire, sinon moi et... mes proches en subirions les conséquences, dis-je en déglutissant avec difficulté. Il m'a dit « ton petit ami ». Visiblement, il me connaît assez bien pour savoir que j'ai dîné avec Ben.

— Je vois, répond Dean, la mâchoire soudain crispée. Je vais m'assurer qu'une voiture patrouille devant chez toi.

— Tu ne comptes pas me demander ce que je faisais ici toute seule ?

— J'espérais que tu me le dirais de toi-même, déclare-t-il en arquant un sourcil.

Je vérifie que personne ne se trouve à proximité.

— Etta m'a confié qu'Eleanor voulait récupérer un dossier dans le bureau du pasteur, chuchoté-je. Il se trouvait dans un tiroir fermé à clé, du coup Etta n'a jamais pu y accéder.

— Et qu'y a-t-il dans ce dossier ?

— Aucune idée. Etta l'ignorait aussi. Elle m'a simplement avoué qu'Eleanor y tenait suffisamment pour ne pas porter plainte contre elle, dis-je en secouant la tête.

Je me mets alors à la recherche de ma trouvaille.

— Où est mon sac à main ? m'étonné-je, stupéfaite.

Dean fait signe à Sloan, l'un des agents de police, d'apporter mon sac. Il me fait un clin d'œil et me le tend.

— On l'a trouvé dehors. Tes clés, ton argent et tes cartes de crédit y sont toujours. Rien ne semble manquer.

Je m'empresse de fouiller à l'intérieur.

— Si. Le dossier.

— Tu as forcé la serrure de son bureau ?

— Bien sûr. J'avais le document dans mon sac à main jusqu'à ce que j'entende quelqu'un derrière moi, dis-je en me remémorant la scène.

Contrarié, je pose une main sur ma tempe. Dean se penche alors vers moi et glisse une main dans la mienne. Au même moment, son téléphone se met à sonner.

Il le sort de sa poche, puis met d'emblée fin à l'appel.

— C'est Samantha. Je vais devoir la rappeler, m'informe-t-il avec un petit sourire. Apparemment, votre voyage à Natchez s'est bien passé. D'ailleurs, elle m'a supplié de prendre un long week-end pour qu'on séjourne dans une chambre d'hôtes de la région. Elle adore les bâtiments historiques.

Mon estomac se comprime à l'idée d'imaginer Dean et Samantha blottis l'un contre l'autre dans une chambre d'hôtes.

— En parlant de Natchez… commencé-je en fouillant dans mon sac à main. Tiens, le reçu de l'essence.

Il le récupère puis sort de son portefeuille trois billets de vingt dollars.

— Voilà. Je te tiendrai au courant si on tient le coupable, conclut-il en se levant.

Il me tend une main pour m'aider à me relever.

Je me relève avec lenteur et le salue d'un signe de tête sans un mot.

Alors que je regarde Dean s'éloigner, je suis prise de remords. Dois-je me sentir mal d'avoir pris l'argent de l'essence ? Pourtant, penser à Samantha et mon ex-petit ami ensemble semble me rassurer d'avoir pris cette décision.

CHAPITRE DIX-SEPT

Quelques heures plus tard, je m'installe dans mon lit, accompagnée d'un antidouleur et d'un bon thé chaud au citron. J'ai bien tenté de me remettre au travail, mais un mal de ventre m'a tiraillé l'estomac toute la journée. Compatissante, ma mère m'a expédiée à la maison après avoir eu vent de mes dernières mésaventures.

Je finis par m'endormir et fais une série de cauchemars terribles dans lesquels je rêve qu'on me poursuit. Quand je me retourne pour voir le visage de mon assaillant, Dean se tient derrière moi.

Vers dix-sept heures, je me réveille de ma sieste en sueur. Avec le récent changement d'heure, l'extérieur est déjà plongé dans la pénombre.

J'enfile une tenue d'intérieur et une paire de chaussettes et descends dans le salon. Je jette un coup d'œil dans l'allée et m'aperçois que ma mère n'est pas encore rentrée du travail. Comme je ne suis pas restée à l'atelier, elle a probablement du travail à rattraper.

Je me rends dans la cuisine, sors mon portable et lui

envoie un message rapide auquel elle répond immédiatement en m'informant qu'elle passe au *diner* prendre le dîner.

Soulagée d'apprendre qu'elle va bien, je me laisse choir dans le canapé du salon avant de poser mes yeux sur le tableau avec la liste des suspects, toujours installé dans un coin de la pièce. Je me relève aussitôt et m'approche du tableau.

Je raye le prénom d'Etta puis étudie l'hypothèse des trois surnoms restants.

Le pasteur qui toucherait son assurance-vie ainsi que la totalité des biens après la mort d'Eleanor.

Lester Hammond qui aurait « avec un peu de chance » un toit réparé avant l'arrivée de l'hiver. À bien y penser, ce mode opératoire me semble un peu léger. Il doit certainement se passer quelque chose entre Maggie et lui.

Ensuite, Maggie qui ne serait plus soumise aux intimidations d'Eleanor pour qu'elle lui vende ses locaux. Si Eleanor récupérait son bâtiment, elle augmenterait tellement le loyer que Maggie et Sylvia seraient obligées de mettre la clé sous la porte.

Il y a aussi la décoratrice d'intérieur, Victoria Felts. Eleanor l'aurait arnaquée. Si les rumeurs disent vrai et que Victoria entretient des liens avec la mafia, alors ils l'ont assassinée pour bien moins que l'argent qui lui était dû.

Mes yeux se posent sur le seul suspect sans nom : Jacob's Ladder.

Jusqu'à présent, cet inconnu m'a agressée à deux reprises. Et les deux fois, au sein de l'église. Tout cela n'a aucun sens. Comment se fait-il que nous nous retrouvions toujours au même endroit, au même moment ?

Il aurait pu me tuer. Mais pour une raison qui m'échappe, il ne l'a pas fait. Simplement mise en garde.

Pourquoi ?

Plus j'y pense, plus je sens la colère s'emparer de tout mon être.

Hors de question de laisser un type m'effrayer de la sorte et me faire renoncer à cette enquête. C'est déjà arrivé par le passé et ma carrière en a subi les conséquences.

Or, cette fois, je n'ai pas l'intention d'abandonner.

Toujours dans les temps pour esquisser d'autres modèles, je rassemble mon carnet de croquis et mes crayons et m'installe dans le canapé. Il me reste quatre tenues à réaliser. Habituellement, je tâche de m'appliquer pour chaque rendu, mais cette fois, je n'en ai pas le luxe. Il faut que j'accélère.

Quelques minutes plus tard, Ben m'envoie un message pour m'informer qu'il serait là dans une heure. *Timing* parfait.

Juste assez de temps pour bûcher sur quelques croquis supplémentaires pendant que mes méninges tentent de délier ce véritable sac de nœuds.

CHAPITRE DIX-HUIT

Il est encore tôt le lendemain matin quand ma mère et moi nous levons. La veille, deux nouvelles tenues sont venues s'ajouter à mon portfolio. Mais, malgré plusieurs heures à travailler tard, je n'ai pas pu continuer davantage, à court d'inspiration. Respecter la date butoir s'avère de plus en plus compliqué.

Tandis que j'attends en bâillant que la cafetière finisse de couler, ma mère s'affaire à la préparation du petit-déjeuner. Tout à coup, quelqu'un sonne à la porte.

Ma mère me scrute avec inquiétude.

Je jette un coup d'œil par la fenêtre et aperçois Dean à l'entrée. Intriguée par cette visite matinale, je pars lui ouvrir.

— Je sais qu'il est tôt, mais je peux entrer ? demande-t-il, embêté.

— Bien sûr. Ma mère est réveillée aussi. Tu veux un café ?

— Avec plaisir.

Il me suit dans la cuisine.

— Dean, tu es là de bonne heure. Tout va bien ? s'enquit ma mère en lui préparant une tasse.

— Merci.

Il prend une gorgée puis affiche une mine préoccupée.

— À vrai dire, non. Je suis venu pour vous tenir au courant de la situation.

— Quelle situation ? Au sujet de l'affaire ? demandé-je en ajoutant de la crème à mon café.

Je m'assieds à côté de ma mère, Dean se place en face de nous.

— En quelque sorte, oui.

Il observe ma mère avant de reporter son attention sur moi.

— Les membres de l'église First Baptist se réunissent aujourd'hui pour voter.

— Un vote ? Pour quelle raison ?

— Pour remplacer le pasteur.

— Pardon ? éclate ma mère, bouche bée. Tout le monde l'adore. Je n'arrive pas à croire que la congrégation puisse même envisager une telle chose.

— Ils veulent que ce soit une décision temporaire. Jusqu'à ce que l'affaire soit bouclée, explique-t-il après une longue gorgée.

— Qui a demandé un tel vote ?

Il me fixe quelques secondes puis grimace sans répondre.

— Dean, dis-moi, insisté-je avec un regard appuyé.

— Maggie.

Ma mère reste coite.

— Maggie Rowe ? Notre Maggie ?

— Oui. Selon elle, il serait préférable pour la communauté que le pasteur se retire tant que l'enquête est en cours. Une fois résolue, il pourra reprendre ses fonctions.

Ma mère secoue la tête.

— Comment ose-t-elle ? C'est comme si elle....

— Ne croyait pas en son innocence ? complète Dean.

— Ridicule, dis-je en tapant du poing sur la table. À quelle heure a lieu la réunion ?

— Dix-huit heures, dans le sanctuaire de l'église.

Un ange passe, puis Dean se lève lentement avant de déposer sa tasse dans l'évier.

— Merci pour le café, Mildred. Dove, tu me raccompagnes ?

À l'entendre, je perçois dans sa voix plus un ordre qu'une réelle question.

Je m'exécute.

— Dean, en tant que membre de l'église, que comptes-tu voter ?

L'air embarrassé, il se passe une main dans les cheveux.

— Dove, tu sais combien j'apprécie le pasteur, comme tout le monde. Mais la situation est grave. Il est peut-être préférable qu'il se tienne quelque temps à l'écart. Apparemment, certains membres ne souhaitent pas revenir à l'église tant qu'il y est présent.

Incrédule, je cligne des yeux.

— Je n'en reviens pas, dis-je, le menton en l'air. Écoute, je ne pense pas que le pasteur ait fait quoi que ce soit à sa sœur.

— Tu tiens un meilleur suspect ? Qui profiterait plus de l'absence d'Eleanor que le pasteur ?

— Je crois que le type qui m'a assommée à l'église pourrait répondre à cette question. C'est lui notre assassin.

— Il a disparu comme un fantôme. Et je ne peux pas arrêter les fantômes.

Dean secoue la tête et se dirige vers la porte.

Anéantie par la nouvelle, je referme derrière lui sans rien dire.

Moi qui comptais achever mes modèles aujourd'hui, je n'ai soudain plus le cœur à poursuivre mon travail pour le moment.

Ce n'est qu'une question de temps avant que le pasteur finisse par tout perdre. Je dois trouver le coupable. Et maintenant.

CHAPITRE DIX-NEUF

Une fois habillée, j'informe ma mère que je serai en retard au travail et prends la direction de l'institut de Sylvia et Maggie. À mon arrivée, la devanture annonce encore FERMÉ.

Après une vingtaine de minutes, la silhouette de Sylvia apparaît derrière la vitrine. Tandis qu'elle allume les lumières du salon, je prends mon sac à main et sors de ma voiture.

Je pousse la porte de l'institut et tombe, à ma grande surprise, sur Victoria Felts.

Sylvia semble tout aussi choquée de me voir.

— Dove, que fais-tu ici ?

— Bonjour, Sylvia. Je viens voir Maggie.

— Eh bien, tu perds ton temps, pouffe-t-elle. Elle m'a dit qu'elle faisait appel aujourd'hui et que je devrais annuler tous ses rendez-vous.

Elle désigne ensuite Victoria, qui hausse un sourcil.

— Victoria avait rendez-vous avec elle. Elle a une réunion importante ce soir et a besoin d'être coiffée.

— J'apprécie que vous déplaciez vos rendez-vous pour me trouver une petite place, Sylvia. Je ne manquerai pas de vous offrir un généreux pourboire, minaude la décoratrice en feuilletant un magazine Cosmo.

Sylvia lui adresse un sourire fatigué.

— Je suis désolée qu'elle ait annulé à la dernière minute, Victoria, mais ne vous inquiétez pas. Votre coiffure sera spectaculaire pour l'événement à Greenwood.

Au même instant, la porte tinte et un homme habillé d'une combinaison et de bottes de travail fait son entrée.

— Madame Felts, le contremaître m'a envoyé chercher ce produit spécial pour les vitres.

— Je suis contente que vous vous occupiez de ces fenêtres, Doug. Elles ont plus de soixante ans. J'ai toujours dit qu'elles étaient comme les yeux d'une maison. Alors autant les faire briller.

La décoratrice fouille dans son sac à main Gucci puis en sort un jeu de clés.

— Regardez dans le coffre. Vous y trouverez ce dont vous avez besoin.

— Très bien, Madame.

L'homme prend les clés et disparaît.

— Je suis surprise de vous trouver encore à Harland Creek, Victoria, dis-je.

— Depuis que j'ai terminé la cuisine d'Eleanor Simmons, la ville ne cesse de découvrir mes talents, fanfaronne-t-elle.

— Ravie d'apprendre que vous avez beaucoup de travail, dis-je en souriant avant de me tourner vers Sylvia. Par hasard, est-ce que tu sais où est Maggie ? Chez elle, peut-être ?

Elle hausse les épaules.

— Comment le saurais-je ? Elle m'adresse à peine la parole.

Je fronce les sourcils.

— Vous étiez les meilleures amies du monde.

— C'est ce que je croyais. Mais depuis qu'elle fréquente

Lester, elle se comporte bizarrement. Elle est distante. Sans compter que si le pasteur démissionne temporairement, c'est à cause d'elle. Elle n'est plus la même, Dove.

Sa voix se brise sous le coup de l'émotion.

L'homme à tout faire réapparaît alors dans l'institut.

— Mme Felts, il n'y a rien dans votre coffre. Vous avez oublié de le prendre peut-être ?

— Bien sûr que non.

Elle pose violemment son magazine sur la chaise à côté d'elle et se lève.

— L'éther doit y être. Vous n'avez pas bien cherché, réplique-t-elle en se dirigeant vers l'entrée.

Stupéfaite, je me retourne vers la décoratrice.

— Vous avez bien dit « éther » ?

— Oui, répond-elle sèchement en faisant claquer avec impatience ses talons sur le lino.

— Pour quelle raison ? Vous avez l'intention d'endormir quelqu'un ?

— Pardon ?

Elle me dévisage, ahurie, comme si une deuxième tête venait de me pousser.

— Non, pauvre sotte. L'éther est un excellent nettoyant à vitres.

Elle lâche un petit soupir exaspéré puis quitte le salon.

Sylvia et moi la suivons des yeux rejoindre sa voiture et retourner à son coffre.

— Mildred m'a dit que le type qui t'a agressée à l'église a utilisé de l'éther.

Je hoche la tête.

— Tu crois que je ferais mieux appeler la police ? s'enquit-elle en se mordant la lèvre.

— Je pense oui.

Et moi je ferais bien de trouver Maggie et de la raisonner.

Toutefois, il est hors de question que je laisse Sylvia seule en compagnie d'une potentielle meurtrière.

Moins de cinq minutes plus tard, Dean débarque dans l'institut. De retour à l'intérieur, Victoria s'emporte de ne pas retrouver ledit produit.

— Mme Felts, saviez-vous que quelqu'un a attaqué Dove dans l'église avec de l'éther ? l'interpelle Dean.

— Je… Non, je l'ignorais, murmure-t-elle avec un air horrifié avant de prendre conscience de la situation. Attendez, vous ne pensez tout de même pas que c'était moi ?

Elle reste bouche bée.

— Où étiez-vous il y a deux jours ?

— Je me suis rendue à Greenwood. Là-bas, j'ai réalisé qu'il me fallait quelque chose de plus efficace pour nettoyer les fenêtres, alors j'ai roulé jusqu'à Starkville, puis à l'épicerie. Donc, vous voyez, je n'étais absolument pas dans les parages, riposte-t-elle, un doigt pointé dans ma direction.

— Et vous venez seulement de remarquer la disparition de l'éther dans votre véhicule ?

— Oui, répond-elle sèchement. À présent, si cela ne vous dérange pas, il faut que Sylvia me coiffe. J'ai beaucoup à faire avant la conférence de ce soir.

Dean acquiesce et m'entraîne par le bras vers la sortie.

— Tu la crois ? demandé-je. Moi, je ne lui fais certainement pas confiance. Elle entretient des relations louches avec des gens du Nevada.

Il me lance un regard de travers.

— Est-ce qu'elle pourrait correspondre à ton agresseur ?

— Non. C'était bel et bien un homme. Mais peut-être qu'elle a payé quelqu'un pour le faire, hasardé-je.

— Ça ne colle pas, Dove, objecte-t-il en enfonçant les mains dans ses poches, le regard rivé sur le sol.

— Je sais.

De toute évidence, il y a beaucoup de choses qui ne

collent pas dans cette affaire. Nous avons creusé le passé d'Eleanor et dressé toute une liste de suspects. Mais un élément semble manquer.

La sonnerie de son téléphone nous interrompt alors dans nos réflexions. Il le consulte brièvement puis le remet dans sa poche.

— Rien d'officiel, j'imagine, demandé-je.

Dean semble tout à coup mal à l'aise.

— Non.

Je fronce les sourcils.

— Tout va bien ?

— C'était Samantha. Elle veut sortir ce soir, mais je ne peux pas. Elle n'a pas l'air de comprendre mes horaires de travail particuliers.

Alors qu'il regarde au loin, je lui donne une petite tape amicale sur l'épaule.

— Hé, je vais t'aider à résoudre cette affaire et une fois que ce sera fait, tu auras tout le temps du monde pour sortir avec Samantha.

Sans attendre sa réponse, je me précipite vers ma voiture.

Mon objectif : trouver Maggie et lui faire dire la vérité. Une bonne fois pour toutes.

CHAPITRE VINGT

Arrivée chez Maggie, je toque, mais personne ne répond. Sa voiture est absente, je tente alors un autre suspect. Lester.

Je prends la direction de l'aire de camping-car Château et constate avec tristesse que l'endroit est pire que ce que je craignais. Avant qu'Eleanor n'achète le lieu, Gertrude Brown, l'ancienne propriétaire, avait au moins eu le mérite de s'occuper de l'endroit, même si elle louait chaque emplacement une fortune et que personne ne l'aimait.

Après quelques minutes, je finis par trouver la caravane de Lester et me gare juste devant. Je m'empresse de toquer à la porte du camping-car.

Quand il apparaît, son visage se décompose.

— Vous attendiez quelqu'un d'autre ? demandé-je, surprise par cet accueil.

— Oui, en effet. Comment le savez-vous ?

Il fronce les sourcils.

Sans attendre qu'il m'invite à entrer, je pénètre chez lui.

— Je n'ai pas le temps de faire la causette, Dove.

Après un rapide coup d'œil à sa caravane spartiate, je constate que, même s'il vit seul, la pièce est bien rangée. Je reconnais, soigneusement plié et posé sur le dossier d'un canapé à carreaux, le plaid The Quilt of Valor cousu par mes soins. Un coussin brodé d'un drapeau occupe un fauteuil inclinable. La moquette semble fraîchement nettoyée, à l'instar de la cuisine.

Sur une petite télévision est diffusé un vieux film en noir et blanc avec Cary Grant.

— Ça vous dérange si je m'assieds ?

Il soupire.

— Je ne suis pas sûr d'avoir le choix.

Je prends sa réponse pour une approbation et m'assieds sur le canapé. Lester se laisse tomber dans son fauteuil.

— J'ai besoin de savoir ce qui se passe entre vous et Maggie, dis-je, mes yeux plantés dans les siens.

— Je ne sais pas de quoi vous parlez, élude Lester en évitant soigneusement mon regard tout en tripotant la télécommande de la télévision.

— Vous avez quitté l'enterrement d'Eleanor ensemble, affirmé-je en me penchant en avant sur mon siège pour souligner mes propos. Vous pouvez me dire pourquoi ou dois-je demander à Dean de venir vous interroger ?

Il secoue vivement la tête.

— Non, ne faites pas ça.

Il se lève et se dirige vers la fenêtre.

— Maggie me conduisait chez Eleanor, finit-il par avouer.

Je fronce les sourcils.

— Pour quoi faire ?

Un voile de tristesse couvre alors son regard.

— Ce n'est pas ce que vous croyez. Je lui avais parlé d'une lettre que j'avais envoyée à Eleanor quelques semaines avant sa mort.

— Quel genre de lettre ?

Il se passe une main sur le visage.

— Rien d'amical. J'étais furieux que mon toit ne soit

toujours pas réparé, fulmine-t-il en désignant une tache sombre au plafond. Mon tempérament a pris le dessus. Je lui ai envoyé une lettre de menaces.

— Vous l'avez menacée ?

Je me lève à mon tour, tout à coup mal à l'aise.

— Je bluffais. Je ne ferais aucun mal à cette vieille mégère. Quoi qu'il en soit, j'en ai parlé à Maggie, après la scène à l'épicerie. Elle m'a dit que je devais reprendre cette lettre avant que la police ne la trouve et n'essaie de me coller le meurtre sur le dos.

— Vous êtes donc allé chez elle. Est-ce que vous l'avez récupérée ?

— Personne n'était censé être là. C'est pour cela que Maggie m'a suggéré de partir avant la fin des funérailles. Elle savait que tout le monde se rassemblerait près du pasteur pour lui présenter ses condoléances, relate-t-il en reprenant place sur son fauteuil. Bref, on y est allés. Et quand on est montés dans sa chambre, on a entendu du bruit.

— Du bruit ?

— Des bruits de pas.

Le visage livide, il secoue la tête.

— Maggie a demandé s'il y avait quelqu'un.

— Et ?!

— On a entendu une voix grave.

— Et que disait-elle ? demandé-je, impatiente de connaître la suite.

— « Partez ! », répète-t-il en se grattant le front. On a eu tellement peur qu'on est sortis en courant. On est retournés à l'église et j'ai récupéré mon camion.

—

— Qui était-ce selon vous ?

Il se tourne pour me faire enfin face.

— En toute franchise ? Je pense que c'était le fantôme d'Eleanor.

J'esquisse un sourire, mais me force à le réprimer. Vu son expression, il est on ne peut plus sérieux.

— Je dois encore parler à Maggie.

L'inquiétude accentue alors ses traits déjà anxieux.

— Il y a une heure qu'elle aurait dû être là. Elle n'est jamais en retard. Je vais l'appeler sur son portable.

Il se dirige vers la cuisine et compose son numéro sur son téléphone avant de le porter à son oreille. Comme elle ne répond pas, Lester me regarde avec une profonde appréhension.

— Ce n'est pas le genre de Maggie. Elle décroche toujours quand je la contacte.

— Lester, je dois vous demander quelque chose. Et je veux que vous me disiez la vérité.

— Bien.

— Est-ce que vous avez tué Eleanor ?

Ses yeux s'écarquillent avec sidération.

— Absolument pas. J'ai beau avoir détesté cette femme, je ne l'ai pas tuée, dit-il tristement. J'ai vu suffisamment de morts quand j'étais à l'armée. Je ne peux pas en supporter davantage.

Convaincue, je hoche doucement la tête.

— Je vous crois.

Il semble légèrement soulagé.

— Je commence à m'inquiéter pour Maggie.

— Moi aussi, dis-je.

Je l'observe quelques secondes puis me lève en direction de la porte.

— Restez ici dans l'éventualité où elle viendrait.

— Que comptez-vous faire ? demande-t-il, les sourcils froncés.

— La retrouver.

Et sur ces mots, je quitte le camping-car.

CHAPITRE VINGT-SEPT

— Dean, Lester est innocent. Et Etta aussi, affirmé-je, le téléphone collé à mon oreille, en route vers chez Maggie.

— Oui, il y a un moment que je les ai tous les deux écartés de ma liste. Et ce n'est pas non plus Victoria. Il semblerait qu'on ait trouvé une empreinte digitale sur son coffre qui n'appartient ni à elle ni à Doug. Elle est en cours d'analyse pour savoir à qui elle appartient.

— Quelqu'un lui a volé son éther.

— C'est ce qu'il semblerait.

— J'ai cru que c'était elle la meurtrière, mais son mobile n'était pas suffisant.

— C'est vrai. Il nous reste donc Maggie, le pasteur et ton agresseur.

— Maggie a appelé aujourd'hui ; elle a demandé à Sylvia de lui annuler tous ses rendez-vous. J'ai vérifié chez elle, mais sa voiture n'y est pas. Ensuite, je suis allée chez Lester, mais il ne l'a pas vue non plus, relaté-je, non sans une certaine crainte. Dean, Lester est très inquiet pour Maggie.

— Sylvia aussi. Elle a craqué après avoir parlé de l'éther à Victoria.

— Ne me dis pas que tu penses Maggie coupable.

— Je n'ai pas dit ça. On a simplement réduit la liste, expose Dean, d'une voix étrangement calme.

— Je parie que c'est l'inconnu de l'église.

— La question est de savoir pour quelle raison resterait-il en ville si c'est bien notre assassin ?

— Que veux-tu dire ?

Les sourcils froncés, je bifurque dans la rue qui mène chez Maggie.

— Il t'a agressée la première nuit dans l'église, après avoir tué Eleanor. Et presque une semaine plus tard, il réitère. Il t'a attaquée deux fois, sans aucun témoin oculaire. Comme si on avait affaire à un fantôme.

Un frisson me parcourt l'échine. Un fantôme.

— Oui, tu as raison.

— Dove, à quoi est-ce que tu penses ?

— Retrouve-moi à l'église. J'ai une théorie.

Je raccroche sans attendre sa réponse. Alors que j'approche du domicile de Maggie, aucune voiture ne semble garée devant chez elle. Je continue ma route.

Si Maggie n'est pas chez elle, il ne reste plus qu'un seul endroit.

L'église.

CHAPITRE VINGT ET UN

En voyant Dean déjà sur place, je souris intérieurement. Je sors rapidement de ma voiture et le rejoins.

Alors que je trottine vers lui, un chien, assis à ses pieds, se met à aboyer violemment. Frôlant la crise cardiaque, je fais un bond en arrière.

— Doucement, Tarzan.

— Je n'avais pas réalisé que tu serais accompagné de cette bête.

— J'ai eu l'intuition qu'il valait mieux. Tarzan pourra nous être utile, déclare Dean en grattant le chien derrière les oreilles.

En retour, l'animal observe son maître avec affection.

— Tant qu'il ne me mord pas, grommelé-je en menaçant du regard le berger allemand.

Il aboie de plus belle, ce qui a l'effet de me faire sursauter.

Dean éclate de rire.

— Allez, viens.

Il gravit les marches jusqu'à l'entrée de l'église et entre le premier.

Je le talonne et alors que je tends la main vers l'interrupteur, il me la prend et secoue la tête.

— Pas de lumière, chuchote-t-il.

J'acquiesce et le suis dans la grande salle, tandis que Tarzan renifle les dizaines de rangées de stalles. À notre arrivée près de la table des offrandes, le chien prend place à côté de son maître et nous fixe de ses prunelles sombres.

Je lance un regard interrogateur à Dean.

— Qu'est-ce qu'il fabrique ?

— Il a fini.

— C'est tout ? Il n'est pas censé nous conduire à un indice ou trouver une piste ? demandé-je en scrutant à tour de rôle l'animal puis son maître.

— Ça ne marche pas ainsi. C'est un chien de police, pas un limier.

— Dans ce cas, pourquoi l'avoir amené ?

— Parce qu'il se sent seul sans moi. En plus, il est en service. Tarzan doit m'accompagner.

— Pff, j'aurais dû venir seule, dis-je en secouant la tête.

Je le dépasse et me dirige vers la salle de réunion.

— Attends ! Laisse-moi passer en premier.

Il m'attrape par le bras et me fusille du regard.

— Tu sais combien je déteste quand tu te mets en danger.

— Oh, franchement, Dean. Je ne suis plus une enfant.

— Je sais ! Crois-moi, je l'ai bien compris, s'emporte-t-il subitement.

Je sens alors la colère inonder mes veines et tente de la contenir, les poings serrés le long du corps.

— On ne sort pas ensemble. Tu ne devrais même pas te soucier autant de moi à vouloir me protéger de la sorte.

— Je me soucierai toujours de toi, Dove. Tu n'as toujours pas saisi ?

Soudain, il se rapproche dangereusement de moi. Ses

mains viennent alors se poser sur mes hanches avant de glisser dans mes cheveux. La seconde d'après, il me serre contre lui et pose ses lèvres chaudes sur les miennes.

Sous l'effet de la surprise ou peut-être d'un désir trop longtemps refoulé, je lui rends son étreinte.

Autour de nous, le décor de l'église s'efface progressivement, ne laissant plus que Dean et moi échangeant un long baiser. Un baiser qui m'évoque une pensée réconfortante et un souvenir de nos années ensemble. Tel un puzzle, tout s'imbrique parfaitement.

Le temps semble suspendu jusqu'à ce que mon esprit embrumé commence à s'éclaircir. Confuse, je presse une main contre la poitrine de Dean. À contrecœur, il finit par rompre notre étreinte.

— Dove, murmure-t-il.

— Dean…

Je recule d'un pas.

— Tu es avec Samantha. Même si elle m'irrite au plus haut point, je ne peux pas lui faire une telle chose.

Au fur et à mesure qu'il comprend, la douleur est palpable dans ses yeux bleus. Je m'apprête à ouvrir la bouche quand Tarzan se met à aboyer dans le couloir près de la salle qui accueille les cours du dimanche.

Les sourcils froncés, Dean se dirige précipitamment dans sa direction. Je l'imite aussitôt.

Arrivés au bout du couloir, nous débouchons sur un grand placard.

Dean saisit son arme et me repousse instinctivement derrière lui.

— Reste là, m'ordonne Dean avant de se tourner vers son chien. Tarzan, assis.

L'animal obéit.

Une main sur la crosse de son arme, une autre agrippée à

la poignée, il ouvre lentement la porte qui émet un grincement sinistre. Alors qu'il appuie sur l'interrupteur de la lumière, je m'approche, les sourcils froncés.

— C'est juste un placard à balais.

Pourtant, Tarzan continue d'aboyer avec insistance.

— Qu'est-ce qu'il a ? dis-je en reculant, craignant que le chien ne soit pris de démence.

Dean range son arme dans son étui et commence à sortir le contenu du placard.

— Qu'est-ce que tu fabriques ?

— Je cherche, répond-il simplement en posant un aspirateur près de la porte.

— Oui, mais quoi ?

Il recule d'un pas et continue d'empiler des produits de nettoyage sur le sol.

— Du papier toilette ? dis-je de plus en plus perplexe.

— Non, attends.

Stupéfaite, je l'observe grimper à l'intérieur du meuble, désormais vide, et cogner contre le fond du placard.

Dean tâte ensuite les recoins du panneau et, au fur et à mesure de ses gestes, le fond du placard en contreplaqué se met à trembler. D'un coup de canif, il passe le long des joints.

Le panneau finit par céder et, à ma grande surprise, une petite ouverture, suffisamment grande pour qu'une personne puisse s'y glisser, se forme.

Il se retourne et me lance un grand sourire.

— Qu'est-ce que… ? balbutié-je, interloquée.

— Passe-moi la lampe de poche.

Je suis des yeux son doigt qui me désigne une petite lampe par terre, la récupère et la lui tend.

Agenouillé dans le meuble, Dean éclaire alors une partie qu'il m'est impossible de voir.

— Alors ?

— Il y a un sac de couchage et une lanterne de camping.

Il se retourne pour me faire face.

— Voilà pourquoi on ne trouve pas le coupable : notre homme n'a jamais quitté la ville. Il est toujours resté dans les parages et il dormait sur le lieu du crime.

— Donc, c'est bien le type qui m'a agressée le premier soir.

Dean acquiesce.

— Juste sous notre nez.

Tarzan se met alors à aboyer. Dean et moi faisons aussitôt volte-face.

— Que se passe-t-il ici ?

Le pasteur apparaît alors devant nous.

— Et vous, que faites-vous ici ? demande effrontément Dean.

Pris de court, l'homme peine à se justifier.

— Eh bien, je….

— Et que faites-vous tout en noir ? demandé-je, le ventre noué.

— J'ai vu la voiture de Dean garée dehors. J'étais inquiet, donc je suis venu vérifier.

— En sweat à capuche ? Depuis le temps que je vous connais, je ne vous ai jamais vu habillé ainsi.

Il relève la tête.

— J'allais faire un footing.

Dean le scrute avec méfiance.

— Vous courez ? Depuis quand ?

— Depuis peu. J'ai remarqué que courir m'aidait à soulager mon anxiété.

— Admettez-le. C'est vous qui avez agressé Dove.

Dean positionne aussitôt la main sur son arme.

— Pardon ? Non !

Le pasteur secoue vivement la tête.

— Dean, pourquoi aurait-il fait une chose pareille ? demandé-je, confuse par la tournure de la situation.

— Dove, décris-nous la carrure du type qui t'a bousculée, m'intime Dean en ne quittant pas le pasteur des yeux.

— Grand et élancé, je dirais.

— Comme vous, lâche-t-il sans prendre de pincettes.

Le pasteur en reste bouche bée.

— Pasteur, il va falloir me suivre au commissariat.

— Mais je ne peux pas. Pas maintenant. J'ai… des obligations.

Sa respiration semble s'accélérer d'un coup.

— Elles attendront, riposte Dean.

Je saisis le bras de mon ex-petit ami.

— Dean, tu ne crois tout de même pas sérieusement qu'il soit l'assassin.

Il me jette un regard noir.

Contre toute attente, le pasteur en profite pour s'élancer dans le couloir.

— Arrêtez ! hurle Dean. Viens Tarzan !

Alors qu'il s'apprête à se lancer à sa poursuite, Tarzan sur ses talons, je crie à mon tour.

— Dean, non !

Il me fusille une nouvelle fois du regard et revient sur ses pas, visiblement excédé.

— Il est en train de nous échapper !

— Il n'a nulle part où aller. Il rentre simplement chez lui. Laisse-moi lui parler.

Dean me regarde comme si j'avais perdu la tête.

— C'est un meurtrier, Dove.

Je prends son visage entre mes mains.

— Dean, si tu m'as toujours fait confiance, écoute-moi. Mon instinct me dit que ce n'est pas lui. En revanche, il doit connaître l'identité du tueur. Tu dois me laisser aller lui parler. S'il te plaît.

Dans ses yeux se mêle une myriade d'émotions. Colère, peur, incertitude et… amour.

Au fond de moi, j'espère secrètement que c'est son affection qui le convainc de me laisser partir.

CHAPITRE VINGT-DEUX

Avant que Dean ne puisse m'arrêter, je me lance à la poursuite du pasteur et le suis jusqu'à son domicile. Quand je parviens de l'autre côté de la rue, il remonte déjà les marches du perron et s'engouffre chez lui. Une fois devant sa porte, je tente d'actionner la poignée, mais cette dernière refuse de s'ouvrir.

Le visage collé contre la fenêtre, je scrute la pièce plongée dans la pénombre et parviens à discerner des mouvements.

Quelques mètres plus loin, Dean et son berger allemand piquent un sprint dans ma direction.

Il faut impérativement que je m'entretienne seule avec le pasteur avant qu'il ne me rejoigne. Sans perdre plus de temps, je longe d'un pas précipité l'habitation jusqu'à la porte arrière menant à la cuisine. Par chance, elle cède. Une fois à l'intérieur, je veille à verrouiller derrière moi.

À l'étage, des éclats de voix retentissent. Visiblement, le pasteur a de la compagnie.

Dehors, Dean se met à tambouriner à la porte de la cuisine. Je l'ignore et fonce dans les escaliers. À mon arrivée sur le palier, Maggie sort en trombe de la chambre d'Eleanor, les mains sur les hanches.

— Maggie ? Qu'est-ce que tu fais ici ? m'étonné-je, stupéfaite.

— Je pourrais te retourner la question.

— Je dois parler au pasteur. Je veux simplement l'aider.

— Personne ne le peut, conteste Maggie en secouant la tête avec douleur. À part Dieu.

Sa réponse glaçante me liquéfie sur place.

— Écoute, il faut vraiment que je lui parle, insisté-je en tentant de passer.

Elle s'interpose.

— Dove, je ne peux pas te laisser passer.

— Mais c'est bien toi qui as voulu organiser un vote pour qu'il renonce momentanément à ses fonctions. Alors, pourquoi te montrer aussi protectrice envers lui ?

Au même instant, Dean et Tarzan jaillissent des escaliers.

— Où est-il ? Maggie, si tu ne nous laisses pas passer, je vais devoir t'arrêter pour obstruction, avertit Dean.

— Je suis là.

Le pasteur apparaît alors et adresse à Maggie un sourire compatissant.

— Vous allez devoir me suivre au commissariat, pasteur.

Tarzan se met à grogner de plus belle.

— Dean, tu ne peux pas. Je ne te laisserai pas l'arrêter. Sinon, tu devras m'emmener aussi.

— Maggie…

— Je ne plaisante pas. Si tu l'emmènes, je l'accompagne, ordonne-t-elle en lui tendant les mains. Menotte-moi. J'irai sur la banquette arrière.

— C'est impossible, Maggie, s'impatiente Dean. Il y a déjà Tarzan derrière. Je comptais installer le pasteur devant, à côté de moi. Il n'y a pas assez de place pour deux suspects.

— Attends, Dean. J'ai une question, dis-je en fixant le

suspect puis Maggie. Pasteur, vous auriez pu fuir en voiture. Ce n'est pas très loin de l'autoroute et le Tennessee se rejoint en quelques heures. Pourtant, vous êtes resté…

Tout à coup, Maggie fixe, gênée, le bout de ses chaussures.

— Et je crois savoir pourquoi, dis-je en comprenant progressivement. Maggie, si tu es revenue, c'est pour protéger le véritable assassin. Il se cache en ce moment même dans la chambre d'Eleanor et vit temporairement dans l'église. Et c'est aussi mon agresseur.

— C'est la vérité, pasteur ? questionne Dean d'un air ébahi.

— Ce n'est pas ce que tu crois, répond Maggie. Il y a plus que tu ne l'imagines.

— Je n'en doute pas, mais à moins que quelqu'un ne commence à tout avouer, je mets tout le monde en état d'arrestation. Y compris toi, Dove.

Je fais volte-face et le dévisage, bouche bée.

— Moi ? Est-ce que je peux savoir pourquoi ?

— Parce que tu m'as bloqué l'accès de la maison ! s'exclame-t-il en me foudroyant du regard.

— Comment êtes-vous entré, d'ailleurs ? demande le pasteur.

— J'ai crocheté la serrure. À présent, place aux aveux.

Je me tourne vers Maggie.

— Pourquoi voulais-tu que la congrégation vote pour la démission du

pasteur ?

— Parce que Maggie pense que j'ai réellement tué Eleanor, répond le pasteur en secouant la tête.

Tous les regards convergent immédiatement vers elle.

Elle soupire.

— En effet. Je me suis dit que si la congrégation votait en faveur de votre départ, vous pourriez partir en cavale, passer la frontière mexicaine ou canadienne et vivre dans l'anonymat.

— Donc tu essayais réellement de l'aider, dis-je en souriant.

— Il a été le meilleur pasteur que cette ville n'ait jamais eu et je ne tiens pas à ce qu'il aille en prison, murmure Maggie, les lèvres pincées.

— Mais je tiens à préciser que je n'ai pas assassiné ma sœur, se défend le pasteur.

— Et je vous crois. Je pense même savoir qui est le coupable, dis-je.

Dean me fixe avec surprise.

— Qui ?

— Le type tout en noir, qui était à l'église et que je soupçonne de vivre caché dans cette maison. Dans la chambre d'Eleanor peut-être ?

— Il… Il ne voulait pas, commence le pasteur en levant les mains. C'était un accident.

Derrière lui apparaît alors un homme d'une trentaine d'années. Il avance vers nous d'un pas hésitant. Tandis que Dean pose la main sur son arme, j'interromps son geste.

— Attends, qui êtes-vous ?

L'homme relève la tête et nous fixe plusieurs secondes. Dans son regard mélancolique brille un air étrangement familier.

— Je suis Peter. Peter Gallows. Le fils d'Eleanor.

CHAPITRE VINGT-TROIS

— J'ignorais qu'Eleanor avait un fils, bredouillé-je, désemparée.

— Personne ne le savait, concède le pasteur en passant un bras autour de son neveu. C'était il y a presque trente ans. À l'époque, il n'était pas acceptable d'être mère célibataire. Et notre père était un homme fier.

Il prend une profonde inspiration avant de poursuivre.

— Il a donc envoyé Eleanor à New York.

— Je m'en souviens, murmure Maggie. À l'époque, on nous avait dit qu'elle était partie aider une cousine mourante.

— C'était un mensonge. À son retour, notre père lui avait fait jurer de ne jamais rien révéler et l'avait menacée de rayer son nom de son testament si elle ne respectait pas sa promesse.

— Et elle a gardé le secret, dis-je en regardant Peter. Jusqu'à ce que vous réapparaissiez.

Des larmes silencieuses se mettent alors à couler sur le visage du jeune homme, marqué par un profond désespoir.

— C'était un accident. Je le jure, embraye Peter en s'essuyant les paupières avec sa manche. J'ai découvert il y a six mois que j'avais été adopté. Mes parents travaillent comme missionnaires. Jusqu'à présent, ils vivaient à l'étranger, mais il y a un mois, quand ils ont appris que leur financement allait être suspendu, ils ont dû revenir aux États-Unis.

— Missionnaires ? Les mêmes missionnaires soutenus par notre église ? s'étonne Maggie.

— Ceux à qui Eleanor a coupé les vivres, ajouté-je.

Peter opine de la tête.

— Comment avez-vous su pour votre adoption ?

— Mes parents me l'ont révélé lors de ma dernière année de lycée. En toute franchise, je n'en revenais pas qu'ils ne soient pas mes parents biologiques, raconte Peter en esquissant un sourire. Comme ils savaient que je comptais étudier à l'université et qu'ils repartaient en mission après Noël, ils avaient tenu à ce que je sois au courant, par précaution.

— Vous avez cherché à retrouver vos parents biologiques ?

— Non. Pas jusqu'à ce que mes parents adoptifs reviennent aux États-Unis, il y a un mois environ. Un soir, je les ai surpris en pleine conversation. Apparemment, si leur financement avait été suspendu, c'était en partie à cause de moi.

— Savaient-ils qu'Eleanor était votre mère ? demande Maggie.

Il acquiesce.

— Oui. Ils ont fini par me montrer les documents officiels de mon adoption à New York. Et j'y ai découvert l'identité de ma mère, Eleanor Simmons. Mon père n'était pas mentionné.

— Vous vous êtes donc mis en tête de la retrouver ? demandé-je avec douceur.

— Oui. Vous n'auriez pas eu envie d'en faire autant ? demande-t-il en m'observant. Après tout ce que mes parents avaient fait pour moi, pourquoi Eleanor avait-elle cessé ses contributions ? Tout cela n'avait aucun sens. Alors, j'ai engagé un détective privé, et il m'a aidé à la retrouver.

— Et que comptiez-vous faire après ? interroge Dean.

Le jeune homme hausse les épaules.

— Simplement lui demander pour quelle raison elle n'aidait plus mes parents. Curieusement, je n'ai jamais pensé lui demander pourquoi elle m'avait abandonné à la naissance. À mes yeux, j'avais déjà les meilleurs parents au monde.

— Et que s'est-il passé ? demandé-je, avide de connaître la suite.

— Je suis venu jusqu'ici. Chez elle. Pour lui parler. J'espérais qu'après notre rencontre, elle éprouverait un minimum de compassion et reviendrait sur sa décision.

— Comment s'est passée la rencontre ?

Peter se met à rire tristement.

— Elle n'a pas voulu me laisser entrer. Quand je lui ai dit que j'étais son fils, elle m'a claqué la porte au nez et n'a pas voulu me parler. Alors, j'ai marché jusqu'à l'église. J'espérais parler au pasteur John…

— Tu peux m'appeler Oncle John, ajoute le pasteur en le gratifiant d'un sourire rassurant. Peter est donc venu me voir. J'étais anéanti, c'est le moins qu'on puisse dire. On a discuté et, évidemment, je n'en revenais pas du comportement de ma propre sœur. Alors, je lui ai dit que je lui parlerais et que j'essaierais de la raisonner.

— Et qu'a-t-elle dit ? demande Dean.

— Elle a refusé d'entendre quoi que ce soit. Je croyais qu'avec le temps, Eleanor finirait par s'assagir, mais ce ne fut pas le cas.

Je me tourne alors vers Peter.

— Combien de temps êtes-vous resté à Harland Creek ?

— Uniquement ce jour-là. Après, je suis parti une nuit à Jackson, à l'hôtel. Je voulais réfléchir à toute cette histoire pour mieux anticiper la suite. Au bout de quelques jours, j'ai contacté le pasteur John, enfin, Oncle John, mais sa secrétaire m'a dit qu'il était absent pour le reste de la journée et qu'il serait de retour tôt le lendemain matin pour célébrer un baptême à huit heures. Alors, je suis revenu. Je me suis garé derrière l'église et j'ai dormi dans ma voiture. Vers quatre heures du matin, un bruit dans les alentours m'a réveillé. Quelqu'un venait d'entrer par la porte arrière de l'église. J'y suis allé aussi. À l'intérieur, malgré la faible lumière, j'ai reconnu Eleanor. J'en ai profité pour tenter de renouer le dialogue. Mais elle s'est mise à m'accuser de vouloir la faire chanter pour lui soutirer de l'argent, à dire qu'elle ne me donnerait jamais un centime, malgré notre lien de parenté…

Ému, Peter peine à finir sa phrase.

— Pardonnez-moi, mais comment Eleanor s'est-elle retrouvée dans le baptistère ? demandé-je.

— Elle m'a ordonné de déguerpir et de ne jamais revenir, et que si je révélais à quiconque qu'elle était ma mère, elle ferait vivre un enfer à mes parents.

— Quelle vieille bique ! s'écrit Maggie en tapant du pied. Pasteur, je sais qu'il s'agit de votre sœur, mais il faut admettre qu'elle était particulièrement odieuse. Et je n'ai pas honte de le dire haut et fort.

Un léger sourire se dessine sur le visage du pasteur.

— Ne vous en voulez pas, Maggie.

Dean et moi nous tournons vers Peter pour connaître la fin de l'histoire.

— Ensuite, elle est montée au baptistère. Pendant qu'elle coupait l'eau, je l'ai suivie. J'ai avancé d'une ou deux marches peut-être et l'ai suppliée de financer mes parents. Je ne voulais rien pour moi. Je lui ai dit que si elle m'écoutait, elle ne me reverrait plus jamais.

Il marque une pause et secoue la tête avec tristesse.

— Je n'oublierai jamais son regard. Elle s'est retournée, elle m'a fixé depuis le baptistère et elle m'a dit qu'elle anéantirait tout ce que j'aime si je ne partais pas à la seconde même. Dans ma tête, j'étais vert de rage. Je n'avais jamais été autant en colère de ma vie. Mes parents sont des gens droits et honnêtes. Ils ont fait un tas de choses extraordinaires dans leur vie. À ce moment-là, tout ce que je voulais, c'était les protéger. J'étais hors de moi. Alors... Alors, je me suis approché d'elle et je l'ai poussée dans le baptistère.

— Et vous lui avez maintenu la tête sous l'eau ? demande Dean avec effroi.

— Non ! Je me suis enfui. Je suis retourné chez Oncle John et je lui ai tout raconté.

— C'est la vérité. Il s'agit d'un accident, affirme le pasteur.

— Bon, d'abord, on va se rendre au commissariat et remplir un rapport en bonne et due forme, soupire Dean. Est-ce que vous seriez prêt à témoigner, Peter ?

— Oui, Monsieur.

— Tu ne peux pas l'inculper, Dean.

— Dove, ne t'en mêle pas, s'il te plaît.

— Elle a raison. Tu ne peux pas, intervient Maggie.

— J'aimerais que tout le monde se calme, tempère-t-il avant de se tourner vers le pasteur. Pouvez-vous nous suivre au poste ?

— Bien sûr. Laissez-moi juste prendre mes clés.

L'homme s'éclipse et regagne sa chambre.

— Vous allez me passer les menottes ? s'enquiert Peter.

— Je ne pense pas que ce soit nécessaire. Dove, tu viens avec moi.

Je fronce les sourcils.

— Je pensais qu'il n'y avait pas assez de place avec Tarzan.

— Tu t'assiéras à côté de lui.

Sa réponse me laisse coite.

— Derrière ?

— Oui, Dove. Vous devriez bien vous entendre. Les animaux t'adorent. La preuve avec Petunia.

Tandis que nous quittons le domicile en compagnie de Peter, je lance un regard furieux à mon ex-petit ami.

— C'est différent. Petunia est une chèvre, marmonné-je sans retenue.

Le jeune homme m'étudie sans comprendre.

— Vous avez une chèvre comme animal de compagnie ?

— Je vous expliquerai en chemin, dis-je en soupirant.

CHAPITRE VINGT-QUATRE

Une fois installée sur la banquette arrière, je fais tout mon possible pour rester près de la portière.

— Tout va bien derrière ? demande Dean.

Son regard amusé croise le mien dans le rétroviseur.

— Tu peux te dépêcher ? Je crois qu'il ne m'aime pas, dis-je en retenant mon souffle alors que le molosse me renifle la nuque. Je crois qu'il est sur le point de me mordre.

— Il apprend simplement à te connaître, s'esclaffe Dean.

— Je préférerais apprendre à le connaître autour d'un café, pas avec ses canines dans mon cou.

Je ferme les yeux et tente de me distraire pour calmer mon cœur en ébullition.

— Peter, j'aimerais vous poser une question.

— Je vous écoute.

— Pourquoi être resté après le décès d'Eleanor ?

Grâce au miroir, je lance un petit coup d'œil discret à Dean.

— Parce que je me sentais mal de la savoir morte. Vous comprenez, après l'avoir poussée dans le baptistère, elle s'est tout de même relevée et elle m'a hurlé dessus. J'ignorais complètement qu'elle était retombée ensuite.

— Attendez une minute, l'interrompt Dean. Elle s'est relevée après ?

— Oui. Elle allait très bien après mon départ.

— Mais pourquoi étiez-vous dans l'église ce soir-là quand les femmes du club et moi sommes venues enquêter ?

Les épaules de Peter s'affaissent subitement.

— Je voulais obtenir le pardon, avoue-t-il, mais je me suis endormi sur un banc. Ce n'est que lorsque j'ai entendu des voix que j'ai pris peur. Je suis sincèrement désolé de vous avoir percutée, Dove.

Il se retourne et me regarde presque avec pitié.

— J'espère que je ne vous ai pas trop fait mal.

— Ça va, dis-je avec un sourire rassurant. Pas de bobo.

— Et ensuite, vous êtes resté chez le pasteur, alors que vous auriez pu partir, poursuit Dean.

— Je voulais m'assurer que mon oncle n'aille pas en prison pour un crime qu'il n'avait pas commis. Je n'arrêtais pas d'entendre les rumeurs qui circulaient au sujet des différents suspects. Et je ne m'imaginais pas quitter la ville en laissant quelqu'un d'autre aller en prison à ma place. Mais il n'a pas voulu que je me rende. Mon oncle me disait qu'il était certain que l'enquête conclurait que la mort de sa sœur était accidentelle. Je suis désolé, j'aurais dû me manifester plus tôt. À présent, la situation est hors de contrôle…

Un dernier détail me vient en tête.

— Au fait, où est le dossier ? demandé-je, les sourcils froncés.

Peter me lance un regard interrogateur.

— Quel dossier ?

— Le fameux dossier que vous avez récupéré la deuxième fois que l'on s'est croisés à l'église, rappelé-je en repoussant une énième fois Tarzan.

— Un dossier ? Je n'ai pas pris de dossier, répond-il, visiblement confus. Je ne vous ai vue qu'une fois.

— Dean et moi avons trouvé une cachette dans l'un des placards de l'église. Quelqu'un y a élu domicile. Ce n'est pas vous ?

Le jeune homme secoue la tête.

— Non, je suis toujours resté chez mon oncle.

— Donc vous ne m'avez pas endormie avec de l'éther ?

Ses yeux s'écarquillent de surprise.

— Absolument pas. Pourquoi ferais-je une chose pareille ?

Perplexe, je m'adosse contre mon siège.

— Dean, fais demi-tour.

— Quoi ?

— Peter dit la vérité. Ce n'est pas lui qui m'a agressée la seconde fois. Le type en avait après le contenu de ce dossier. Et il est probablement de retour à l'église maintenant que personne ne le surveille.

— Pourquoi y serait-il ? demande Dean, perplexe, tout en ralentissant.

— Parce que le dossier qu'il a n'est pas le bon. Quand j'ai entendu des pas le jour de mon effraction, j'ai échangé les documents. J'ai préféré anticiper au cas où il m'arrivait quelque chose.

Mon ex-petit ami me considère avec étonnement.

— Pourquoi ne m'avoir rien dit ?

— Parce que je voulais voir si l'assassin le remarquerait et reviendrait le chercher. Et je peux te garantir qu'il s'y trouve en ce moment même pour essayer de savoir où se trouve le vrai dossier. En plus, le rapport d'autopsie révèle qu'Eleanor s'est noyée. Ce qui signifie qu'elle était encore vivante quand elle était dans l'eau. Elle respirait. Quelqu'un l'a donc noyée. De force.

— Mais pourquoi ? réagit aussitôt Peter.

Alors que je m'apprête à répondre, le téléphone de Dean se met à sonner. Il consulte furtivement l'écran.

— Qui est-ce ?

— Mon équipe a établi une correspondance avec les empreintes prélevées sur le coffre de Victoria Felts. En effet, ce ne sont pas les vôtres, Peter.

Dean exécute alors un demi-tour et repart à vive allure en direction de l'église.

— Où allons-nous ?

— Nous allons enfin découvrir qui se cache derrière toute cette histoire.

CHAPITRE VINGT-CINQ

Par précaution, Dean se stationne à quelques rues de l'église.

— Ne bougez pas d'ici, ordonne-t-il à Peter avant de se tourner vers moi. Je t'aurais bien d'y d'en faire autant, mais tout le monde sait combien tu n'en fais qu'à ta tête.

J'exulte et me glisse hors du véhicule.

Avec Tarzan en tête, nous nous dirigeons discrètement vers l'édifice.

— On prend la porte latérale. Reste bien derrière moi, et surtout : pas un bruit.

— Je commence à connaître le protocole, dis-je en levant les yeux au ciel.

Il me lance un regard noir puis pénètre en premier dans les lieux, son chien sur ses talons.

Aux aguets, je les suis sans un bruit.

Alors que nous nous orientons vers le bureau du pasteur, une silhouette se dessine dans la pénombre du couloir.

Les yeux plissés, je fronce le nez en identifiant l'individu.

— Ben ? Qu'est-ce que tu fiches ici ?

— Dove ? Je pourrais poser la même question, riposte-t-il

avant de darder un regard agacé sur Dean qui saisit aussitôt son arme.

— Les mains en l'air, Ben.

Je dévisage Dean sans comprendre.

— Quoi ? Mais enfin, Dean, c'est Ben. Il est là pour…

En proie à d'affreux doutes, je m'interromps.

— Que fais-tu là au fait ?

Ben semble tout à coup mal à l'aise.

— Il est venu chercher *le* dossier, Dove, répond Dean. Les empreintes sur le coffre de la voiture de Victoria Felts correspondent aux siennes. À chaque fois que quelqu'un se penche sur un dossier médical, il se doit de prélever les empreintes. D'où l'existence de son nom dans notre système.

Je papillonne des yeux, incrédule.

— Mais pourquoi ?

— Parce que Ben voulait mettre la main sur la dernière trace écrite qui dit qu'Eleanor a un fils. Je me trompe ?

Ben redresse fièrement le buste.

— Tu ne peux pas accuser les gens comme tu l'entends, Dean. Je ne parlerai pas sans la présence d'un avocat.

— Je n'en doute pas, renchérit Dean en souriant avec sarcasme. Tu veux dire la vérité à Dove ou tu préfères que je m'en charge ?

Embarrassé, Ben me scrute sans rien dire.

— Je t'écoute.

— Ben ne veut pas qu'on découvre la véritable identité du fils d'Eleanor, poursuit Dean.

— Mais on sait déjà qu'il s'agit de Peter, dis-je, de plus en plus décontenancée.

— Vraiment ? demande Dean en toisant l'aide-soignant qui semble endurer le pire jour de sa vie. En parallèle de l'adoption de Peter, l'agence par laquelle sont passés ses parents a procédé à une quantité d'autres adoptions. Or il n'y a pas très longtemps, l'agence a rapporté que deux bébés avaient été accidentellement échangés à la naissance. Je me souviens qu'à une époque, le père de Ben avait eu besoin d'une greffe de rein. Toute la famille avait été testée, y compris Ben. Sauf qu'il n'était pas compatible… parce qu'il avait été adopté.

Je dévisage Ben, cet inconnu avec qui j'ai dîné en tête-à-tête, et frissonne de la tête aux pieds.

— Donc tu cherchais ce dossier, car tu as appris qu'Eleanor était ta mère. Mais comment l'as-tu découvert ?

Ben se met à déglutir avec difficulté.

— Dis-moi, insisté-je comme sa réponse tardait à venir.

— Eleanor était diabétique… commence-t-il d'une voix faible. Elle m'appelait souvent quand elle avait besoin de faire des prises de sang pour aller chez le médecin. Elle détestait y aller parce qu'elle ne voulait pas qu'on découvre ses problèmes de santé. Alors elle a réussi à ce que son médecin accepte que ce soit moi qui lui fasse ses prises de sang et les ramène. Un jour, en allant chez elle, j'ai vu une enveloppe provenant de l'agence d'adoption de New York. La même qui s'était chargée de mon adoption. Quand je lui ai demandé de quoi il s'agissait, elle m'a répondu que ce n'étaient pas mes affaires.

Il marque une pause avant de secouer la tête.

— Du coup, ce jour-là, j'ai décidé de faire un test ADN en le comparant avec son sang. Je ne m'attendais pas à grand-chose, mais quand j'ai découvert qu'Eleanor était ma mère, j'étais sous le choc. Dès que je la voyais, je mourais d'envie de tout lui dire. Une fois, je lui ai même apporté des fleurs. Devinez sa réaction : elle m'a accusé d'avoir tenté de la séduire pour son argent ! s'exclame-t-il avant de rire doucement. Invraisemblable, non ? Et puis un jour, alors que je cherchais du papier toilette dans un placard pour en remettre dans les toilettes des hommes, je suis tombé sur cette cachette. Je ne sais pas ce qui m'a pris, mais je me suis glissé à l'intérieur et je m'y suis assis. De l'autre côté du mur, Etta et Eleanor se trouvaient dans le bureau du pasteur. Je pouvais suivre toute leur conversation. Et c'est à ce moment-là que j'ai entendu Eleanor menacer Etta de porter plainte si elle ne lui retrouvait pas le fameux dossier. Je savais qu'il contenait tout ce qui prouvait officiellement qui était ma mère.

— Raconte-nous ce qui s'est passé le matin de sa mort.

— J'étais déjà dans le sanctuaire. Je l'attendais. Je devais déposer son insuline chez elle, mais je voulais lui parler de ce que j'avais appris.

— Son insuline ?

— Oui, comme je disais, elle était diabétique. Elle faisait de son mieux pour le cacher. Et sa consommation d'alcool ne lui rendait pas service. Quoi qu'il en soit, ce jour-là, j'ai entendu une autre voix et j'ai compris qu'elle n'était pas seule. Je l'ai vue se disputer avec un homme de mon âge, et le menacer de détruire sa vie. À cet instant, quelque chose en moi s'est brisé. J'ai compris combien ma mère était un monstre. Alors, j'ai pris une seringue d'insuline… chevrote Ben, les yeux embués de larmes.

— Et après ?

— Le type l'a poussée dans le baptistère et il a pris la fuite. Ensuite, ma mère s'est relevée avec difficulté, elle marchait à quatre pattes. Alors je me suis approché et j'ai commencé à me moquer d'elle. Évidemment, elle fulminait. Elle a commencé à m'insulter de tous les noms malgré sa détresse. Je n'en croyais pas mes oreilles. Alors, je lui ai tout dit. Que je savais qu'elle était ma mère. Ce à quoi elle a répondu qu'elle m'avait maudit dès le jour de ma naissance. Sauf qu'au même moment, elle a glissé sur une marche et elle s'est cogné la tête. J'en ai donc profité pour lui injecter l'insuline et la remettre dans le baptistère pour qu'elle se noie. Elle était encore consciente.

— Je comprends mieux pourquoi le rapport d'autopsie relate qu'Eleanor est décédée par noyade. Elle respirait encore, mais elle était plongée dans un coma diabétique à cause de l'insuline, conclut Dean.

Ben acquiesce.

— Je suis impressionné, Dean. Je ne te croyais pas aussi intelligent. C'est vrai, après tout, tu as laissé partir Dove, fait-il remarquer d'un ton désinvolte.

— C'est donc toi qui m'as endormie avec l'éther, murmuré-je, consternée.

— Oui. J'ai vu que cette décoratrice d'intérieur en avait dans son coffre quand j'étais à l'épicerie. Plutôt facile de la lui dérober. Tout ce que j'avais à faire, c'était de lui proposer de charger ses courses à sa place.

— Que se passe-t-il ? s'élève soudain une voix derrière nous.

Surpris par l'arrivée de Peter, Dean et moi nous tournons vers lui. Ben en profite pour m'attraper violemment et approcher une seringue à quelques centimètres de mon cou.

— Je suis désolé, Dove. Je t'aimais bien, vraiment. J'aurais pu nous imaginer un avenir ensemble, déplore-t-il avec une fausse tristesse avant de prendre un air menaçant. Mais je n'irai pas en prison pour tes beaux yeux. Ce que tu as près de ton cou est un agent paralytique. Une fois que je te l'aurai injecté, ton cœur cessera de battre. Vous pouvez facilement deviner la suite.

Tandis qu'il me tient tel un bouclier, Dean le tient en joue, avec à ses pieds, Tarzan qui grogne sévèrement.

— Lâche-la.

Ben recule de quelques pas, en direction de la sortie.

— Je ne peux pas. Laisse-nous plutôt partir et je ne lui ferai aucun mal.

— Tu n'iras nulle part.

— Si tu l'aimes, laisse-nous partir, répète Ben en pressant sa bouche contre mon oreille.

Terrorisée, je me force à tenir debout, malgré cette sensation de défaillir à tout instant.

Ben tend alors une main vers la porte. Dans quelques minutes, Ben et moi serions dans son véhicule, puis très loin d'ici.

— Ben, s'il te plaît. Ne fais pas ça, supplié-je, au bord des larmes.

— Tais-toi.

Alors qu'il resserre son emprise, des étoiles se mettent à défiler devant mes yeux. Il me fait descendre les marches une à une. À chacun de nos mouvements simultanés, Dean continue de suivre les moindres faits et gestes de mon agresseur.

Une fois dehors, Ben me tire tout à coup brutalement vers l'arrière. Bien que je m'efforce de tendre le cou le plus loin possible de la seringue, elle finit par me piquer légèrement la peau. Apeurée, je passe une main tremblante sur mon cou.

— Je ne me sens pas bien… dis-je en découvrant avec horreur une petite trace de sang sur mes doigts.

— Plus que quelques mètres, râle Ben en reculant.

Soudain, la voix de Dean retentit. Et une fraction de seconde plus tard, Tarzan dévale aussitôt les marches et s'élance sur Ben. Je ferme d'emblée les yeux, redoutant une morsure imminente, mais me retrouve finalement projetée au sol.

Quand je relève la tête, les crocs du berger allemand sont plantés dans la cuisse de Ben, qui hurle de douleur. Dean en profite alors pour le ceinturer immédiatement et lui passer les menottes avant de siffler son chien pour qu'il le libère.

Peter accourt vers moi et tente de m'aider à me redresser.

— Vous allez bien ?

— Oui, je crois… balbutié-je en agitant la main devant lui. Le sang me fait simplement tourner de l'œil.

Il prend l'ourlet de son T-shirt et fait disparaître la trace rougeâtre sur mes doigts puis m'aide à me relever. Alors que nous sommes sur le point de rejoindre la voiture, un attroupement s'approche de l'église. Parmi les individus, j'aperçois aussitôt ma mère, ainsi que toutes les femmes du club, qui s'empressent de nous rejoindre. Même Samantha est présente et ne cesse de poser des questions. En fin de compte, je réalise que la moitié de la ville a assisté à toute la scène.

J'aurais dû m'en douter. Aucun secret ne résiste à une petite ville comme Harland Creek.

Après avoir installé Ben dans le véhicule puis installé Tarzan sur le siège avant, Dean s'approche de moi et me prend le visage entre ses mains.

— Ça va ?

— Oui.

— Laisse-moi voir ton cou.

Il me tourne la tête avec douceur et examine la zone en question.

Sans le vouloir, mon regard croise alors celui de Samantha. Ni marqué par la colère ni par la jalousie, seulement la tristesse.

— Je vais bien, Dean, dis-je en prenant mes distances. Il faut que tu conduises Ben au commissariat.

Il acquiesce sans un mot puis s'éclipse.

À peine est-il parti que toutes mes amies se ruent sur moi.

CHAPITRE TRENTE-TROIS

Sylvia fond en larmes.

— Je suis tellement désolée, Maggie. Comment ai-je pu croire que tu avais tué Eleanor ? Tu me pardonnes ?

— Mais bien sûr, vieille chouette, réplique son amie en la prenant dans ses bras. Tu restes ma meilleure amie.

— Quelqu'un d'autre veut du thé ? demande ma mère, la théière dans une main.

— Non, merci. Sinon je vais passer la moitié de la nuit aux toilettes.

— Agnes, personne ne veut entendre parler de tes problèmes de vessie, grommelle Bertha.

— Et personne n'a envie d'entendre parler de ton orteil en griffe.

— Mesdames, pourrions-nous nous calmer un peu ? tente d'intervenir Lorraine.

La veille, Ben a été arrêté et inculpé du meurtre d'Eleanor. Depuis, l'histoire est sur toutes les lèvres.

Pour l'occasion, ma mère a convié toutes ses amies. Surtout depuis qu'elles ont appris que l'aide-soignant avait tenté de me kidnapper.

— J'aurais aimé voir l'attaque de Tarzan. Apparemment, c'était comme dans les films, lance Elizabeth en prenant une gorgée de thé.

— Tu as eu peur, Dove ? demande Weenie en me scrutant avec de grands yeux.

— Oui, mais je savais que tout se finirait bien.

— Je suis choquée qu'Eleanor ait eu un fils et que personne ne l'ait su, ajoute Donna en secouant la tête.

— À vrai dire, une personne le savait : Lester, répond Maggie avec joie. Quelqu'un de Jackson le lui a dit. Lester et lui étaient dans la même unité militaire. Et c'est l'une des raisons pour lesquelles Eleanor et Lester ne se sont jamais entendus.

— Mon Dieu, on en apprend tous les jours, convient ma mère.

— Je savais que quelque chose clochait avec ce Ben, fait à son tour Lorraine.

— Ah oui ?

— Oui. J'ai toujours trouvé étrange sa façon de se rapprocher d'Eleanor. Entre nous, cette femme était abominable. Pourtant, il la défendait toujours quand quelqu'un en disait du mal. Au fond, il a dû hériter de sa méchanceté, répond-elle en prenant une bouchée de sa part de gâteau.

— J'imagine qu'à présent tout va rentrer dans l'ordre, dit Sylvia en souriant.

— Pas forcément, objecte Agnes. Le pasteur veut que son neveu reste un peu chez lui. Il lui a déjà dit que, s'ils sont prêts à y retourner, il financerait entièrement la mission de ses parents.

— C'est très gentil de sa part.

— Et ce n'est pas tout ! D'après les rumeurs, il y aurait de l'eau dans le gaz entre Dean et Samantha, rapporte Elizabeth. Je les ai vus se disputer sur la place quand j'emmenais Petunia chez le fleuriste.

— Que se disaient-ils ?

— Difficile à dire, mais je crois avoir entendu le nom d'une certaine jeune femme.

Tous les regards se tournent vers moi.

Je lève aussitôt la main.

— Attendez, je n'ai rien à voir avec eux.

— Plus que tu le penses, ma belle, s'esclaffe Bertha.

— C'est vrai, Dove. Dean a toujours été amoureux de toi, renchérit Weenie en me souriant.

Personne ne la contredit. Puis un petit bruit de rot depuis le coin de la pièce vient rompre le silence. Alors que nous scrutons toutes Petunia, cette dernière s'approche de moi en poussant un bêlement et vient frotter sa tête velue contre ma main.

— Regarde, Dove. Même Petunia est jalouse. Elle pense que tu préfères Tarzan, rit Elizabeth.

Attendrie, je lui gratte brièvement le menton avant d'interrompre mon geste, ce qui la fait bêler de plus belle.

Tout le monde éclate de rire.

— Je te le promets, Petunia. Personne ne prendra jamais ta place, tu restes ma préférée, dis-je en me levant pour me diriger vers le tableau blanc.

Et d'un coup d'éponge, j'efface tous les noms des suspects inscrits avant de me tourner vers le petit groupe.

— Je m'en veux un peu de n'avoir jamais soupçonné Ben.

— Non, ma chérie. Les hommes sont ainsi. Ils jouent avec le cœur des femmes. Et, rien que pour cette raison, quand tu trouves un homme bien, il ne faut jamais le laisser partir, soupire ma mère.

Dean… Ma mère a raison.

— Au fait, j'ai une bonne nouvelle, finis-je par claironner. Un fabricant de Los Angeles m'a contactée pour que je lui fournisse des modèles pour femmes.

— Vraiment, Dove ? Mais c'est fantastique ! Pourquoi ne l'as-tu pas dit plus tôt ? se réjouit Weenie en se précipitant vers moi pour m'enlacer.

— Parce que je viens de leur envoyer mes croquis. Je ne sais pas s'ils les prendront, mais c'est un début.

— Oui, et un très bon début, approuve Agnès en souriant.

Je soulève ma tasse de thé.

— Pourquoi ne pas terminer cette soirée avec un toast ?

Chacune m'imite aussitôt.

Une à une, j'observe les femmes qui me font face, regroupées tels les membres d'une même famille. Sans savoir pourquoi, je pense aussitôt à Ben et à Peter.

Le cœur serré, je m'éclaircis la gorge.

— Au meilleur groupe d'enquêtrices et fauteuses de trouble que je connaisse.

Les rires fusent, et nous trinquons toutes ensemble.

— Mais surtout, à ma famille.

À PROPOS DE L'AUTEUR

Jodi Allen Brice est l'auteur a` succe`s USA Today de plus de vingt romans. Inscrivez-vous a' la newsletter ici pour http://jodiallenbrice.com

DU MÊME AUTEUR

NOVELS

Je vous dis au revoir

Series

Promesse Tenue

Faire une promesse

Une Promesse Pout Toujours

Couture and suspense A Harland Creek

Le Mystery du Quilt

Le Mystere Du Bapistere

For her Paranormal Series check out

jodivaughn.com

Milton Keynes UK
Ingram Content Group UK Ltd.
UKHW012248291123
433483UK00001B/26